Tout avait pourtant bien commencé :
bon vent et vivres en abondance, dans
les parages de l'île aux Ours, là où par
réfraction le ciel multiplie le soleil.

Bertrand Imbert a été officier de marine dans les Forces françaises libres. En 1949, il participe à la première expédition française en Terre Adélie et repart en 1950, comme second de l'expédition Barré. En 1955, l'Académie des sciences lui confie le commandement des expéditions antarctiques de l'Année géophysique. Il hiverne à nouveau en Terre Adélie en 1957. Bertrand Imbert a publié de nombreux articles dans des revues polaires et scientifiques.

1er dépôt légal: avril 1987
Dépôt légal: juin 1988
Numéro d'édition: 43599
ISBN 2-07-053013-2
Imprimé en Italie

LE GRAND DÉFI DES PÔLES

Bertrand Imbert

DÉCOUVERTES GALLIMARD
AVENTURES

Dans l'Antiquité, que sait-on des limites de la Terre ? Le bassin méditerranéen est le centre du monde civilisé, des contacts existent avec l'Orient mais, du reste du monde, seuls les philosophes se préoccupent. L'idée d'un hémisphère austral s'impose aux Grecs, car, selon Pythagore et Platon, il faut qu'il y ait une terre à l'opposé du monde connu, une terre qui le maintienne en équilibre et l'empêche de basculer. Ils l'appellent l'Antichtone.

CHAPITRE PREMIER
LES SOMMETS DU MONDE

Cette mappemonde (vers 1300) donne des notions de cartographie et d'ethnographie. A droite, autour du cercle, sont représentées d'étranges figures à 4 membres symétriques, supposées se déplacer les pieds en l'air.

Elle serait peuplée d'hypothétiques habitants, les Antipodes – littéralement « ceux qui marchent les pieds en l'air » – et cet univers fantastique serait entouré d'une zone torride, de mers bouillantes, gardées par des monstres terrifiants.

Au xve siècle, en redécouvrant les textes antiques, les humanistes relancent la spéculation sur ces terres inconnues

C'est ainsi qu'en 1475 on imprime la géographie de Ptolémée. Ce Grec d'Alexandrie avait, au Ier siècle, dressé des cartes de la terre et du ciel. On y voit un

« Y a-t-il des antipodes ? Grande controverse des savants contre le vulgaire. Quoi ! une terre sphérique portant partout des hommes ? Les hommes debout, pieds contre pieds, ayant tous le ciel au-dessus d'eux, et sur quelque point que ce soit foulant la terre ! Et comment les antipodes ne tombent-ils pas ? »
Pline, *Histoire naturelle*

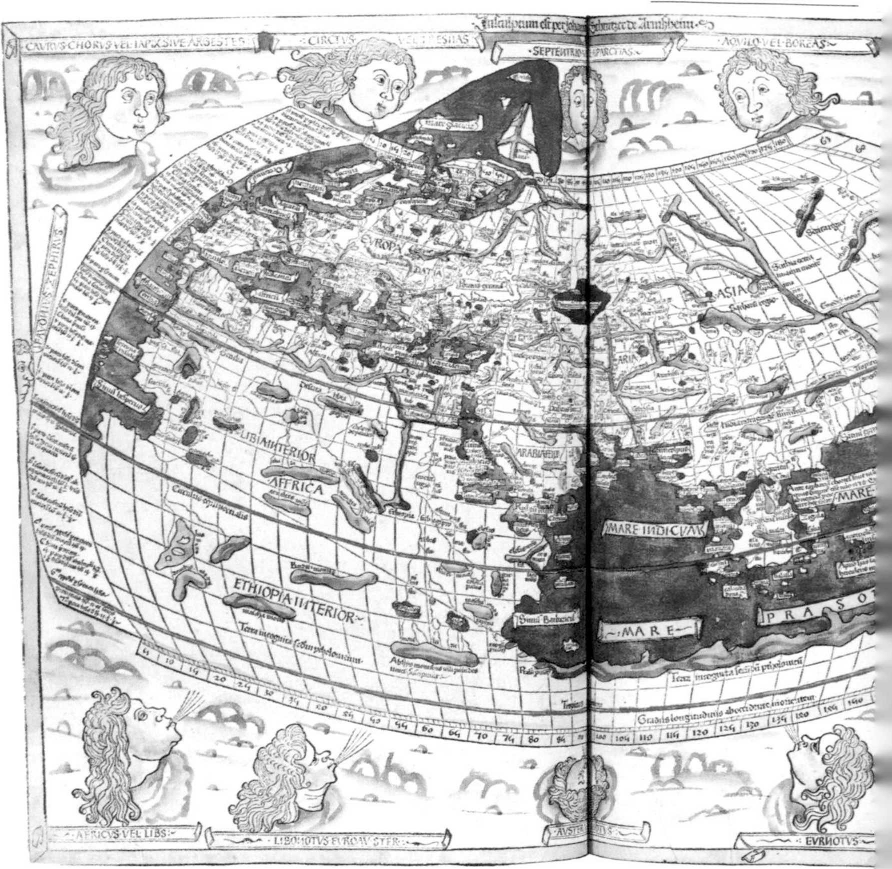

océan Indien bordé vers 20° de latitude sud par une « *Terra incognita* ». Cet atlas sera réimprimé en de multiples éditions jusqu'à la fin du XVIe siècle, et ses conceptions largement partagées par tous les lettrés de la Renaissance.

C'est pourtant l'époque où des navigateurs commencent à apporter des preuves d'une autre vision du monde. En franchissant en 1497 le cap de Bonne-Espérance et en faisant route jusqu'aux Indes, Vasco de Gama prouve que l'océan Indien n'est pas une mer fermée. Avant lui, une expédition chinoise, forte d'au moins soixante-deux navires, commandée par l'amiral Cheng-ho, en avait fait l'expérience. En 1520, Magellan longe la côte d'Amérique du Sud à la recherche du passage vers l'ouest. Par 52° sud, il découvre le canal qui portera son nom, ouvrant la route du Pacifique. Il baptise l'endroit « Terre des feux », persuadé qu'il s'agit là de la côte nord du continent antarctique.

Les premiers atlas modernes datent de 1570. Celui du Hollandais Ortelius donne une image du monde qui tient compte de toutes ces découvertes, mais la notion de terre australe reste toujours aussi approximative, puisqu'il dessine un grand bloc continental là où nous savons aujourd'hui que se trouvent la Terre de Feu, l'Australie , la Nouvelle-Zélande et l'Antarctique.

Au XVIIe siècle, les navigateurs hollandais vont, à leur tour, détruire encore un peu le mythe d'un immense continent antarctique

En 1616, Lemaire et Schouten franchissent le cap Horn et démontrent que la Terre de Feu est une île. Vingt-cinq ans plus tard, Abel Tasman contourne l'Australie sans la voir, mais

Les navigateurs portugais, esprits pratiques avant tout, ne se soucient pas de la question des antipodes. Pour eux, il s'agit d'ouvrir la route de l'hémisphère sud, et, de fait, le passage des Tropiques est pour eux une révélation : ni zones torrides ni mers bouillantes, mais une végétation verdoyante et des populations nombreuses. « Sans doute le très illustre Ptolémée nous a transmis beaucoup de bons enseignements sur la géographie, mais il est en défaut sur ce point. » La remise en question des enseignements de l'Antiquité commence. Après Bartholomé Diaz qui en 1488 arrive jusqu'à la pointe extrême de l'Afrique, Vasco de Gama (1469-1524, ci-dessus), contourne le cap de Bonne-Espérance et ouvre la route des Indes.

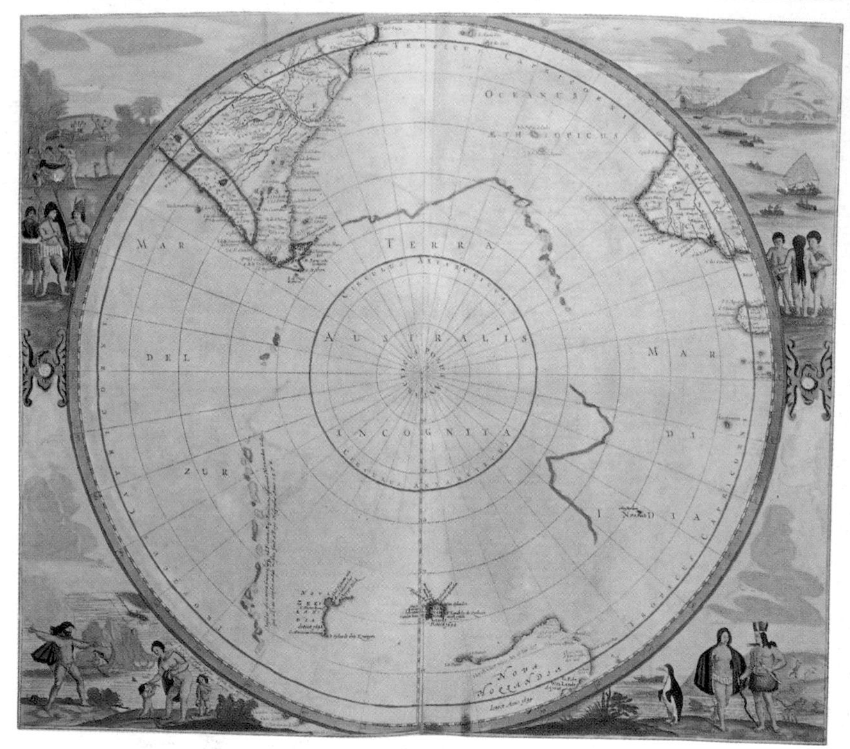

découvre successivement la Tasmanie et la côte occidentale de la Nouvelle-Zélande, qu'il prend pour l'extrémité du continent austral. Cependant, ces terres désolées ne suscitent pas grand intérêt, et l'Occident préfère exploiter les richesses des marchés asiatiques et renoncer pour un temps aux voyages d'exploration vers le sud.

Pendant cette même période, d'autres navigateurs progressent vers le nord

L'idée des souverains européens est toujours de trouver une autre route vers la Chine, par le nord. Deux itinéraires sont possibles : le passage du nord-ouest, en contournant l'Amérique, le passage du nord-est, en longeant la côte de Sibérie. Désormais, le but est fixé, les expéditions vont se succéder.

Arktos, la constellation de l'Ours, avait donné son nom aux régions septentrionales dominées par cette constellation. Tout naturellement, les Grecs forgèrent le mot *Antarktos* pour désigner les terres australes opposées aux terres du nord. Les deux mots ont donné naissance à Arctique et Antarctique.

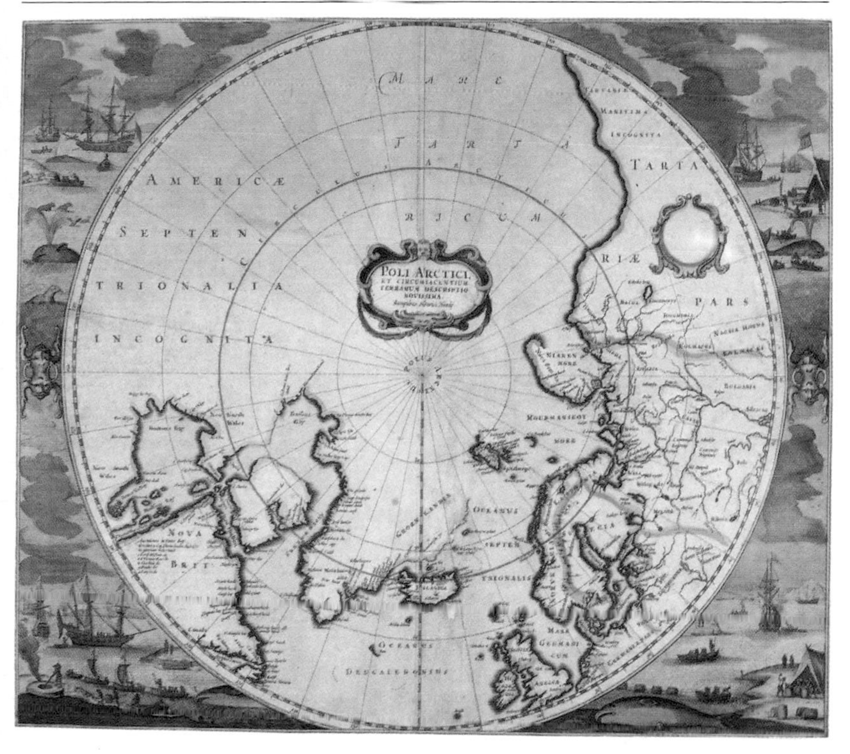

Français et Anglais à la recherche du passage du nord-ouest

Pour chercher le passage vers la Chine, François Ier prend à son service le navigateur florentin Verrazano, et lui donne mission de remonter vers le nord, au-delà des régions explorées par Christophe Colomb. En 1524, Verrazano jette l'ancre dans une baie, et croit avoir trouvé l'entrée du passage. Il vient en fait de pénétrer dans le fleuve Hudson, à l'emplacement de la future ville de New York. Dix ans plus tard, Jacques Cartier découvrira, lui, l'estuaire du Saint-Laurent, et l'année suivante, en 1535, remontera le fleuve sur 1 000 km, arrivant jusqu'à un village indien, auquel il donnera le nom de Mont-réal.

Les Anglais, à l'instigation de la reine

Avec Jacques Cartier (1491-1557), commence la lignée des grands navigateurs malouins.

Elizabeth Ire, poussent encore bien plus au nord. En 1576-1578, Frobisher navigue par 60° de latitude nord dans ce qui deviendra le détroit d'Hudson. En 1585, des marchands d'Exeter et de Londres financent une nouvelle expédition vers la Chine, commandée par John Davis, un remarquable navigateur et hydrographe, l'inventeur du quadrant – l'ancêtre du sextant –, qui permet déjà d'arriver à des mesures de latitude précises. Au cours de trois expéditions, Davis cartographie le vaste bras de mer situé entre la côte ouest du Groenland et l'archipel canadien jusqu'à la latitude 72° nord. Malheureusement il arrive à la fin de juin à cette latitude, c'est-à-dire trop tôt pour pouvoir passer, et est arrêté par la banquise, aussi bien vers le nord que vers l'ouest.

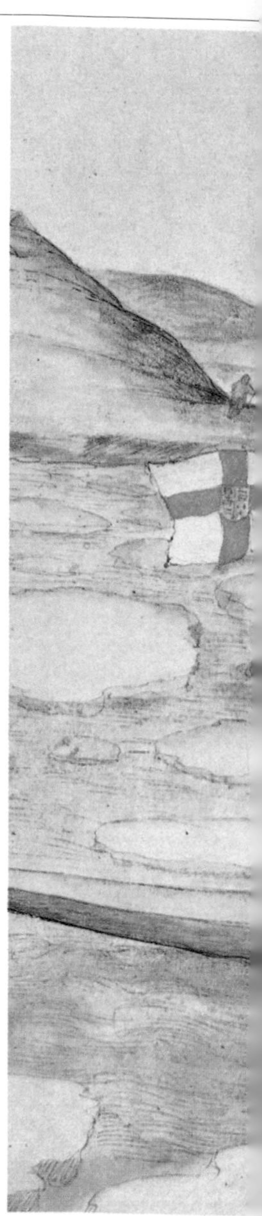

L'odyssée d'Henry Hudson

Commandité par des Hollandais, Henry Hudson appareille d'Amsterdam en 1609 et se retrouve sur les traces de Verrazano, explorant le fleuve qui porte aujourd'hui son nom et les alentours, c'est-à-dire la future ville de New York. C'est grâce à Hudson que les Hollandais, en 1626, achètent aux Indiens l'île de Manhattan, qu'ils rebaptisent New Amsterdam.

En 1610, Hudson repart avec le *Discovery*, cette fois pour le compte des Anglais. Il a à son bord vingt-deux marins, dont son fils John, âgé de seize ans. Le but du voyage : pénétrer dans le détroit signalé par Davis. Il y parvient au début août, et débouche dans une

Aventurier et pirate, Martin Frobisher avait déjà longuement couru les mers lorsqu'il appareilla, en juin 1576, pour chercher à son tour le passage vers la Chine, par le nord-ouest. Au cours du voyage, il rencontra des Esquimaux, naviguant dans de petites embarcations de cuir, des kayaks, qui excitèrent la curiosité de l'équipage. Mais, rapidement, les rapports dégénérèrent en guerre. Frobisher, qui eut l'avantage d'en sortir vainqueur, ramena en Angleterre l'un de ses prisonniers, qui fit grande impression.

immense baie intérieure, que l'on appelle aujourd'hui la baie d'Hudson. Il fait route vers le sud, parcourant 700 milles, mais s'attarde et doit hiverner dans les glaces. Au printemps suivant, une mutinerie éclate. Les marins le débarquent, avec son fils et sept membres de l'équipage restés fidèles, et ramènent le *Discovery* en Angleterre. Les principaux responsables de la mutinerie étant morts en cours de route, les survivants ne seront pas poursuivis par la justice anglaise.

« Il n'y a pas de passage au nord-ouest », affirme William Baffin

Baffin, l'un des meilleurs navigateurs de l'époque, entreprend deux explorations, en 1615 et 1616. Il explore d'abord la côte nord du Groenland jusqu'à la latitude 78° nord, puis la côte de l'archipel canadien. Enfin, il découvre la baie de Lancaster, qui correspond à l'entrée du passage du nord-ouest, mais, persuadé qu'il ne s'agit que d'une baie, il ne poursuit pas son exploration. A son retour en Angleterre, il assure en toute bonne foi qu'il n'existe pas de passage. Occupés à exploiter leurs colonies du Canada et de l'Amérique, Français et Anglais vont peu à peu se désintéresser de cette route. Les recherches ne reprendront que deux siècles plus tard, à la fin des guerres napoléoniennes.

Une autre route maritime, le passage du nord-est, relie la mer Blanche au détroit de Béring, le long de la côte de Sibérie

Elle intéresse les deux grandes puissances maritimes de la mer du Nord, Angleterre et Hollande, qui cherchent à concurrencer l'Espagne et le Portugal : il s'agit en effet de détruire le monopole qu'exercent ces deux pays sur la route des Indes, sans toutefois entrer en lutte ouverte avec eux. Et le projet est d'autant plus séduisant que, d'après les géographes de l'époque, cette route est deux fois plus courte que la route du sud.

En effet, les grands atlas, comme celui de Mercator, montrent une Sibérie beaucoup moins étendue, et dont la forme s'infléchit au sud-est après la presqu'île de Taymir, pour descendre brusquement vers le sud, ce qui diminue exactement de moitié le parcours réel vers la Chine. Et comme tout le monde sous-estime également le problème de la navigation

Après sept mois d'hivernage forcé, le *Discovery* est enfin libéré des glaces. Mais entre Hudson, le capitaine, et l'équipage, les rapports sont plus que tendus. De maladresse en quiproquo, Hudson a laissé se créer toutes les conditions d'une mutinerie. Les vivres étant rationnés, il privilégie certains, tout en soupçonnant les marins de dissimuler des stocks. Le 23 juin 1611, la rébellion éclate : Hudson et quelques-uns de ses compagnons sont ligotés et jetés dans une chaloupe, qui bientôt s'éloigne, avec pour toutes provisions un petit sac de viande, tandis que les mutins hissent les voiles du *Discovery*.

dans les glaces, le projet va tenter nombre d'explorateurs.

A défaut de passage, les Anglais se trouvent un allié en Ivan le Terrible

En 1553, Sir Hugh Willoughby part vers le nord-est, à la tête d'une expédition de trois navires. Rendez-vous est donné sur l'île de Vardo. Deux des navires, le *Bona Esperanza* et le *Bona Confidentia* n'arriveront jamais. Ils se perdent, commencent un hivernage sur la côte nord de la presqu'île de Kola, mais tous les hommes meurent, probablement intoxiqués par l'oxyde de carbone que dégage le chauffage.

Le troisième navire, l'*Edward Bonaventure*, après avoir longtemps attendu au point de rendez-vous, réussit à arriver jusqu'à Kholmogori (Arkhangelsk), à 900 km de Moscou. Chancellor, le commandant, ira y rencontrer le tsar Ivan le Terrible, avec lequel il ébauche un traité commercial qui aboutira à la formation de la Compagnie des marchands aventuriers. C'est le début de fructueux échanges commerciaux, mais l'expédition n'a fait en rien progresser la connaissance du passage.

A l'entrée du passage du nord-est, les premiers Européens rencontrent des Samoyèdes. Ces tribus nomades chassaient le renne avec un arc et des flèches. Cette ethnie compte encore aujourd'hui 25 000 membres, vivant en Nouvelle-Zemble et à l'ouest du fleuve Ob.

C'est un pilote hollandais, Willem Barents, qui va être le premier Européen à passer à l'est de la Nouvelle-Zemble

Financée par les villes de Middelburg, Enkhuysen et bien sûr Amsterdam, la première expédition appareille en juin 1594 avec plusieurs navires. Barents, à bord du *Messenger,* fait cap sur l'île nord de la Nouvelle-Zemble, tandis que le *Swan* et le *Mercury* se dirigent vers le détroit de Vaigats au sud et pénètrent en mer de Kara jusqu'à l'embouchure de l'Ob. Barents parvient à l'extrémité nord-est de la Nouvelle-Zemble et s'approche du Cap Tabin (Tcheliouskine). Les deux missions se retrouvent à Vaigats et rentrent en Hollande avec la certitude d'avoir découvert le passage.

L'année suivante, Barents n'hésite donc pas à repartir; sept navires chargés de marchandises envoyées vers la Chine se retrouvent bloqués par les glaces, à l'entrée de la mer de Kara : d'une année à l'autre, il est en effet impossible de prévoir l'état de la banquise.

En mai 1596, au cours d'un troisième voyage, Barents, qui cherche un passage plus au nord, découvre le Spitzberg (la montagne pointue), y débarque et en prend possession au nom de la Hollande.

Fin juillet, il longe à nouveau la côte nord de la Nouvelle-Zemble. De là, il aperçoit l'eau libre, à l'est, mais son navire est pris par les glaces avant de réussir à l'atteindre. Le gouvernail arraché, la coque soulevée par la pression, il lui faut se résigner à hiverner à terre dans un abri construit par les matelots. Au mois de juin suivant, l'équipage abandonne navire et abri pour tenter de rejoindre la côte russe sur deux embarcations de secours. Le 20 juin, Barents meurt, d'épuisement ou du scorbut. Les survivants continuent vers le sud et sont recueillis par des navires russes. C'était la première fois que des Européens hivernaient par 76° de latitude nord. Trois cents ans plus tard, le commandant d'un phoquier norvégien, Carlsen, fait escale dans le port de la côte nord-est de Nouvelle-Zemble où Barents avait hiverné. Il y retrouve, dans un abri en ruine, quantité d'objets lui ayant appartenu, conservés par une couche de glace.

Comme pour le passage du nord-ouest, l'intérêt d'une nouvelle route maritime disparaît peu à peu lorsque l'Espagne et le Portugal perdent leur suprématie. C'est désormais de concurrence directe qu'il va s'agir, dans le commerce avec les Indes, l'Insulinde et la Chine par la route du Cap.

Le récit des trois voyages de Barents est à l'époque un best-seller traduit en plusieurs langues. On voit ci-dessous la page de titre de l'édition anglaise de 1609, dont la présentation typographique rappelle le dessin de la coque d'un bateau. L'édition française est intitulée : *Vraye description de trois voyages de mer très admirables… plus des ours cruels et ravissants et autres monstres marins ; et la froidure insupportable… non sans périls, à grand travail et difficultés incroyables.*

THE
True and perfect De-
scription of three Voy-
ages, so strange and woonderfull,
that the like hath neuer been
heard of before:

Done and performed three yeares, one after the other, by the Ships of *Holland* and *Zeland*, on the North sides of *Norway*, *Muscouia*, and *Tartaria*, towards the Kingdomes of *Cathaia* & *China*; shewing the discouerie of the Straights of *Weigates*, *Noua Zembla*, and the Countrie lying vnder 80. degrees; which is thought to be *Greenland*: where neuer any man had bin before: with the cruell Beares, and other Monsters of the Sea, and the vnsupportable and extreame cold that is found to be in those places.

And how that in the last Voyage, the Shippe was so inclosed by the Ice, that it was left there, whereby the men were forced to build a house in the cold and desert Countrie of *Noua Zembla*, wherin they continued 10. monthes together, and neuer saw nor heard of any man, in most great cold and extreame miserie; and how after that, to saue their liues, they were constrained to sayle aboue 350. Dutch miles, which is aboue 1000. miles English, in litle open Boates, along and ouer the maine Seas, in most great daunger, and with extreame labour, vnspeakable troubles, and great hunger.

Imprinted at London for *T. Pauier*.
1609.

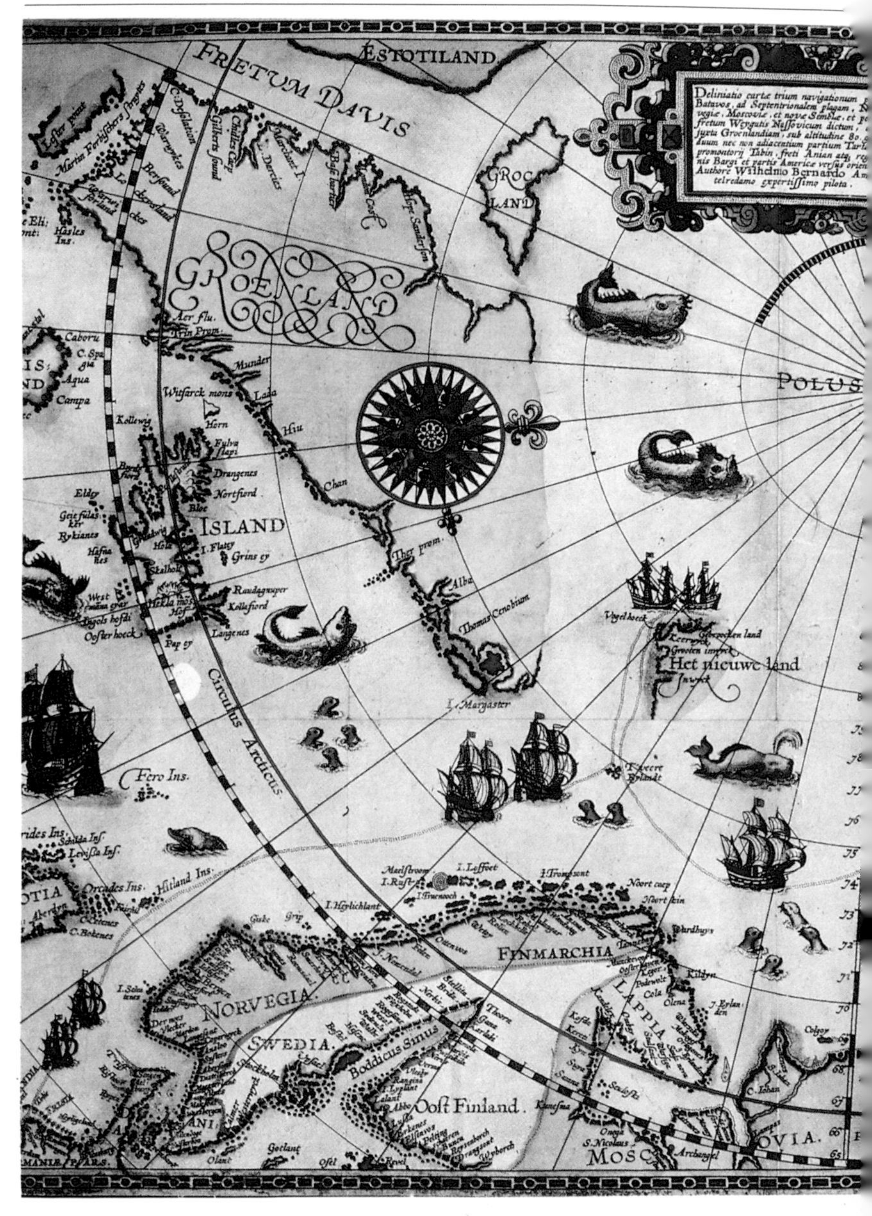
Deliniatio cartæ trium navigationum
Batavos, ad Septentrionalem plagam,
vegiæ, Moscoviæ, et novæ Semblæ, et
fretum Weygatis Nassovicum dictum,
juxta Groenlandiam, sub altitudine 80.
duum nec non adiacentium partium Tar
promontorij Tabin, freti Anian atq; re
nis Bargi et partis Americæ versus orien
Authore Wilhelmo Bernardo Am
telredamo expertissimo pilota.
ESTOTILAND
FRETUM DAVIS
GROENLAND
GROC LAND
POLUS
ISLAND
Hekla mons
Circulus Arcticus
Het nieuwe land
Fero Ins.
Hitland Ins.
Orcades Ins.
FINMARCHIA
NORVEGIA
SWEDIA
Boddicus Sinus
LAPPIA
Oost Finland
Archangel
S. Nicolaus

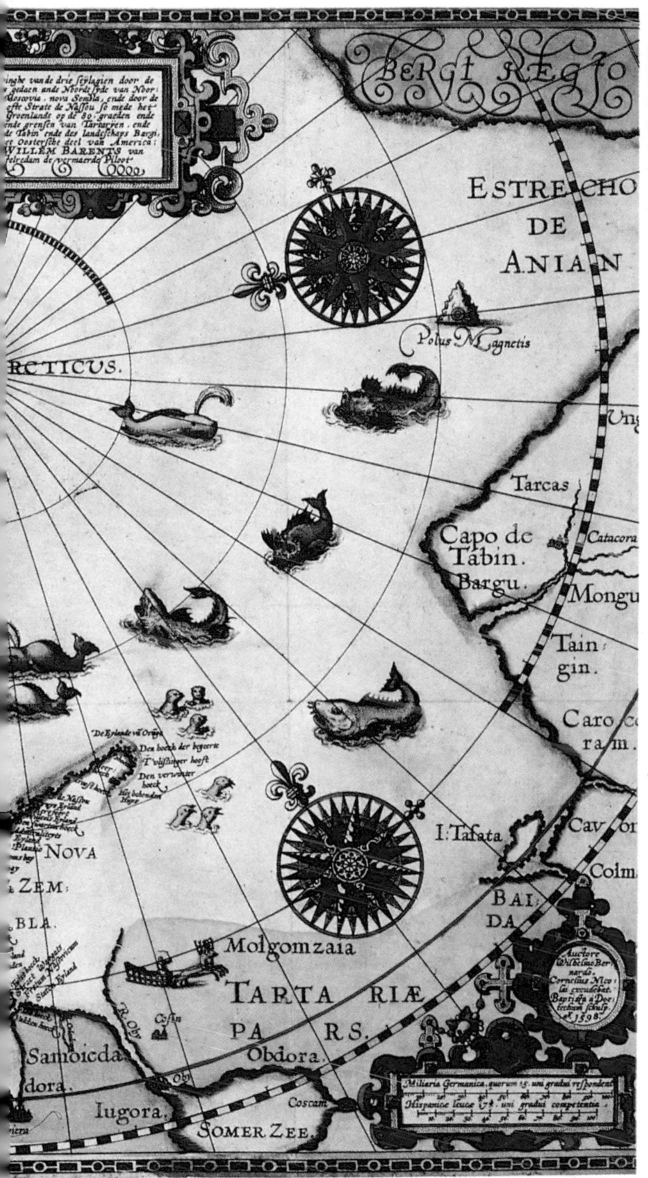

Les voyages de Barents, ainsi que la carte qui en décrit l'itinéraire, auront une conséquence inattendue : le démarrage de la chasse à la baleine dans la région du Spitzberg, où Barents avait vu des milliers d'animaux. Anglais et Hollandais y mènent pendant cent cinquante ans des campagnes fructueuses. Aidés par des harponneurs basques, qui avaient été les pionniers de la chasse dans les eaux du golfe de Gascogne, ils enverront jusqu'à 200 navires, avec des bénéfices atteignant dans certains cas 25 % du capital investi. Cette période amènera une bien curieuse constatation : le passage du nord-est est pratiqué depuis longtemps... par les baleines. En effet, les chasseurs du Kamtchatka et du Japon trouvent parfois dans leurs prises des morceaux de harpons aux initiales des chasseurs du Spitzberg...

Si les Européens semblent renoncer au XVIIe siècle à leurs ambitieux projets, les Russes, eux, pénètrent au cœur de la Sibérie arctique

Les navigateurs russes qui, dès le début du XVIe siècle, traversaient tous les ans la mer de Kara pour atteindre l'embouchure de l'Ob et de l'Ienisseï, cherchaient moins à découvrir une route vers la Chine qu'à développer le commerce entre la Sibérie et la Russie. Des fouilles récentes ont mis au jour un port sibérien du XVIe siècle, Mangazeya, situé à proximité de l'Ob et de l'Ienisseï. Les archives montrent un trafic maritime de plusieurs milliers de tonnes entre cette région et la mer Blanche, malgré les glaces.

Comment expliquer l'échec des Anglais et des Hollandais, alors qu'une route maritime était exploitée par les Russes à cette même époque ? Les recherches d'un historien de l'Arctique, le Soviétique M.I. Belov, ont montré que les navires employés par Barents et Chancellor étaient trop lourds, trop peu manœuvrants, tandis que les Russes avaient conçu et construit toute une flotte de navires adaptés aux glaces, les *kotchis*.

« They were all too good for us »

« Ils étaient trop rapides pour nous »… C'est ce que rapporte Steven Burrough, un navigateur anglais qui en fit l'expérience en 1556.

Les kotchis étaient des embarcations de 30 m de long, avec un tirant d'eau de 2 m et une étrave inclinée ; leur construction était renforcée par un double bordé dans les fonds et jusqu'à la ligne de flottaison. Toutes ces caractéristiques en font les véritables précurseurs des navires qui, à la fin du XIXe siècle, réussiront les premiers passages. Transportant 40 t au lieu des quelques centaines des navires européens, les kotchis pouvaient, comme on le voit sur ces gravures, être tirés sur la glace à l'aide d'un cabestan. L'importance de leur voilure, 100 à 120 m^2, leur donnait en outre une vitesse bien supérieure à celle des navires européens.

Au XVIIe siècle, les trappeurs et cosaques russes qui s'installent dans l'Est sibérien, en Yakoutie, utiliseront des kotchis sur les côtes arctiques, de l'embouchure de la Lena à celle de la Kolyma ou de l'Indigirka. En 1648, un cosaque, Semen Dezhnev, emmène avec lui sur ces bateaux soixante chasseurs, pour un périple de 2 000 km, de l'embouchure de la Kolyma jusqu'à la rivière Anadyr réputée pour ses animaux à fourrure, en passant par le détroit de Béring. Dezhnev découvre ainsi sans le savoir le détroit qui sépare l'Asie de l'Amérique, et ce cap porte maintenant son nom.

Au milieu du XVIIIe siècle, 400 trappeurs russes occupés au commerce des fourrures sont déjà installés sur les bords du fleuve Kolyma. Certains d'entre eux iront chercher fortune en Extrême-Orient, à bord de six kotchis commandés par Dezhnev, mais le récit de leur voyage restera enfoui dans les archives de Yakoutsk jusqu'à l'époque de Béring, un siècle plus tard.

Avec le tsar Pierre le Grand, la Russie va lancer un vaste projet d'exploration systématique du passage

Influencé par Leibniz et l'Académie des sciences de Paris, le tsar décide en 1724, quelques mois avant sa mort, d'envoyer une expédition maritime depuis le Kamtchatka, « pour faire route au nord et découvrir comment on rejoint l'Amérique ». C'est à un Danois, Vitus Béring, qu'il confie cette tâche. Parti du Kamtchatka avec un navire construit sur place, Béring atteint fin septembre 1728 le cap Dezhnev, mais, effrayé par la cruauté des tribus locales, les Tchoukis, il revient à son point de départ, après avoir démontré l'existence d'un détroit, mais sans avoir vu la côte

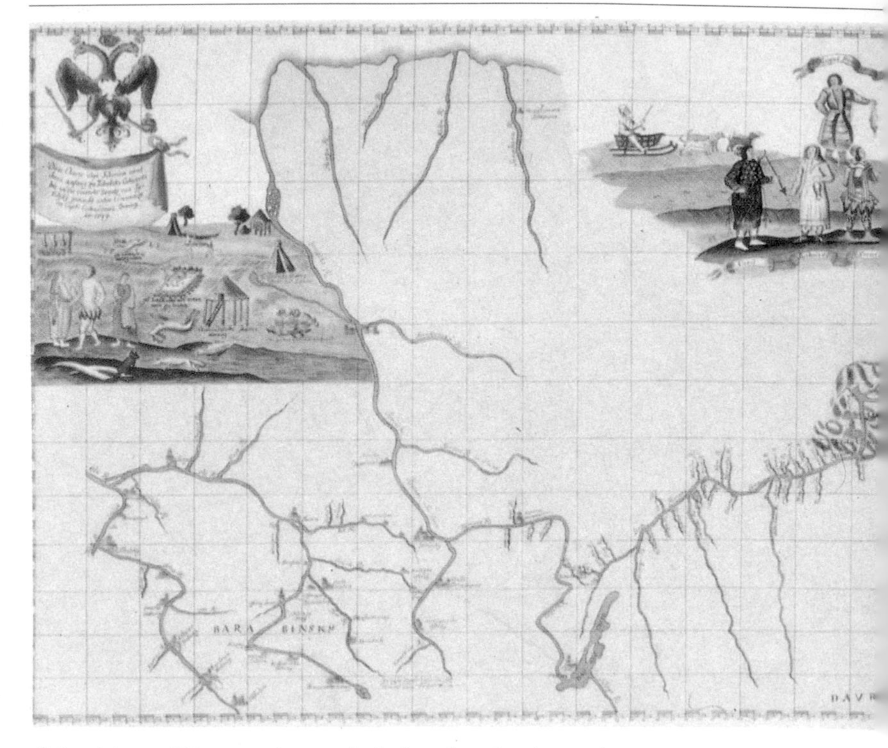

d'Amérique. Dix ans plus tard, il abordera la côte sud de l'Alaska.

L'impératrice Catherine II, après Pierre le Grand, décide alors, puisqu'il existe un détroit entre l'Asie et l'Amérique, d'explorer la possibilité d'un passage maritime le long de la côte de Sibérie. Ce sera la « grande expédition arctique », qui durera dix ans, de 1730 à 1740, et sera en fait composée de cinq expéditions, employant au total mille personnes, qui se partageront en cinq secteurs cette côte de 5 000 km. Les kotchis servent à nouveau, mais ne peuvent pas toujours traverser les champs de glace, d'autant plus que les expéditions partent très tôt en saison.

Les résultats les plus spectaculaires sont obtenus par deux jeunes officiers de marine, les frères Laptev. Chariton Laptev part de l'embouchure de la Lena en 1739, fait route à l'ouest et explore la côte jusqu'à

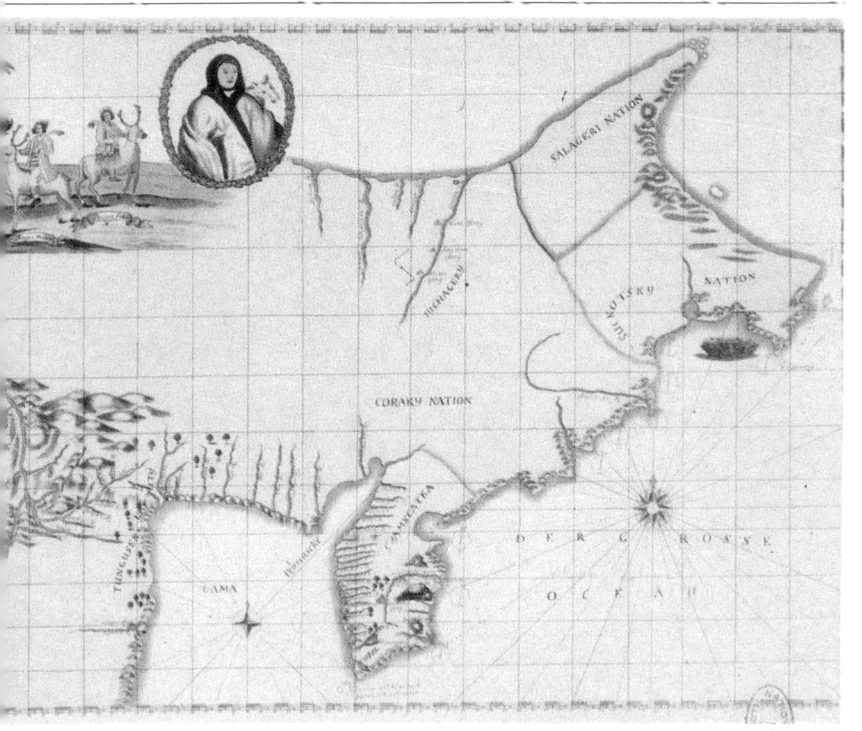

l'embouchure de l'Ienisseï ; bloqué par les glaces à la hauteur de la péninsule de Taymir, il explorera cette région avec des traîneaux à chiens, aidé de son second, Tchéliouskine. Celui-ci atteint par voie de terre le cap nord de Taymir, le point le plus au nord du continent asiatique, qui porte aujourd'hui son nom.

Dimitri Laptev part aussi de l'embouchure de la Lena, fait route vers l'est, en direction du détroit de Béring. Bloqué par les glaces, il ne réussit pas à l'atteindre et hiverne dans la rivière Kolyma après avoir exploré 1 300 km de côtes.

Toutes ces découvertes inciteront ensuite les marchands russes à former, sur le modèle de la Compagnie des Indes, la Compagnie américano-russe qui prendra possession de l'Alaska jusqu'à sa vente aux Américains en 1867.

Pour le compte du tsar Pierre le Grand (à gauche), Béring monte trois expéditions, au cours desquelles il découvre plusieurs des îles Aléoutiennes et la côte sud de l'Alaska. Il meurt en 1741 sur l'île Béring, au retour de son troisième voyage.

Ce continent austral, qu'aucun navigateur n'a encore localisé, mais que tous veulent être les premiers à découvrir, apparaît au XVIIIe siècle comme un nouvel éden, une région fertile au climat tropical, habitée par « des gens heureux qui ne travaillent pas »... De ces zones inexplorées, les philosophes rêvent de faire un laboratoire pour leurs recherches, espérant y trouver les bons sauvages qui confirmeront leurs théories.

CHAPITRE II

VOYAGES VERS L'EXTRÊME SUD

Avec Dumont d'Urville et sir James Clark Ross (ci-contre), l'Antarctique cesse d'être une terre mythique. A gauche, peints par Garneray, l'*Astrolabe* et *la Zélée* pris dans la banquise au cours du voyage de découverte de la Terre Adélie.

« Je préférerais une heure de conversation avec un indigène de la *Terra australis incognita* plutôt qu'avec le plus grand savant d'Europe. » Ainsi s'exprime Maupertuis, mathématicien français, ami de Frédéric II, roi de Prusse.

C'est sur cette utopie d'une terre bénie que se monte la première véritable expédition antarctique, celle de James Cook

Préconisée par un astronome, Alexander Dalrymple, la mission confiée à Cook se déroule de 1768 à 1771. L'*Endeavour*, avec quatre-vingt-cinq hommes à son bord, réalise une circumnavigation qui le fait passer par le cap Horn, Tahiti, la Nouvelle-Zélande. Cook a pour mission secrète de rechercher le continent austral à partir de Tahiti. A son retour, il fait clairement savoir que « ce voyage a fait disparaître la plupart, sinon la totalité, des arguments avancés par divers auteurs pour prouver qu'il doit exister un continent austral, tout au moins au nord du 40e parallèle sud ».

Sur l'insistance de Dalrymple, l'Amirauté ordonne une deuxième expédition, cette fois avec deux navires, le *Resolution* et l'*Adventure*. Elle devra résoudre définitivement le problème du continent austral et se déroulera de 1772 à 1775. Le 17 janvier 1773, victoire : pour la première fois le cercle polaire est franchi. De retour en Angleterre, Cook déclare : « J'ai fait le tour de l'hémisphère austral dans une haute latitude et je l'ai longé de manière à prouver, sans réplique, qu'il n'y a point de continent, à moins qu'il ne soit près du pôle et hors de portée des navigateurs. »

Une nouvelle réalité s'impose : il n'est plus question d'établir avec le continent austral le commerce fructueux qu'avaient imaginé certains, ni de découvrir les sociétés humaines rêvées par les philosophes. En revanche, attirés par les rapports de Cook sur la richesse des eaux antarctiques, les baleiniers anglais et américains vont venir nombreux au sud du cap Horn. Opérant à partir de la Géorgie du Sud, ils détruiront en quelques années des milliers de phoques et de manchots, sans améliorer les connaissances géographiques, car

ils tiennent à garder secrets leurs lieux de chasse, et sont, de plus, incapables de faire des relevés précis.

En 1819, le tsar Alexandre Ier se lance à son tour dans l'aventure antarctique : ce sera l'expédition de Bellingshausen

Ce deuxième voyage de circumnavigation antarctique permettra d'approcher à moins de 30 nautiques de la côte, à la latitude 69° 25' sud où, selon toute vraisemblance, Bellingshausen est le premier à apercevoir le continent. C'est le début du mois de février 1820 ; il continue à naviguer vers l'est et le sud du cercle polaire, dans des secteurs inconnus de Cook. Il relâche en avril à Sydney, puis repart en novembre ; il découvrira deux terres nouvelles, qu'il nomme île Pierre, en l'honneur de Pierre le Grand et Terre Alexandre, en l'honneur d'Alexandre Ier. En août 1821, il rentre à Kronstadt, après deux ans d'absence.

Le *Resolution* et l'*Adventure*, les vaisseaux avec lesquels Cook a sillonné les mers du Sud, atteignent en 1773 la latitude 67° sud. Au milieu des icebergs, les marins mettent les canots à l'eau et chassent les éléphants de mer.

Admirateur de Cook, Bellingshausen (à gauche) veut pousser le plus loin possible au sud pour compléter l'exploration de son prédécesseur.

Une compagnie anglaise de baleiniers fait elle aussi d'importantes découvertes

Dans *Moby Dick,* Melville parle d'un baleinier anglais, le *Samuel Enderby,* et il évoque ses armateurs, la firme Enderby, « une maison qui, d'après mon opinion de pauvre baleinier, vient juste derrière les maisons royales de Tudor et Bourbon réunies »... A l'inverse des maisons concurrentes, la firme Enderby consacre beaucoup d'efforts aux découvertes géographiques, et s'illustre grâce à deux de ses capitaines, John Biscoe et John Balleny.

John Biscoe appareille en 1830 pour le sud, aperçoit en janvier 1831, au sud de l'Afrique, une terre qu'il nomme Terre d'Enderby, relâche à Hobart, traverse le Pacifique et découvre au sud du cap Horn l'île Adélaïde et la Terre de Graham.

John Balleny, avec l'*Elisa Scott* et le *Sabrina,* aperçoit le 9 février 1839 un groupe d'îles auxquelles il donne son nom, à 500 nautiques à l'est de la (future) Terre Adélie ; il découvre ensuite, en mars, la côte Sabrina, à l'ouest.

De 1838 à 1843, des expéditions française, américaine et anglaise vont s'approcher du pôle magnétique et découvrir chacune un secteur de la côte

Paris, 1837. Dumont d'Urville, officier de marine célèbre pour avoir rapporté de Grèce la Vénus de Milo, a déjà effectué deux tours du monde. Il vient proposer au ministre de la Marine de Louis-Philippe le plan d'une nouvelle expédition dans le Pacifique. C'est en fait le moment où Américains et Anglais semblent se rapprocher dangereusement du grand Sud : Weddell a atteint les 74° 15' sud.

Dans l'océan austral, les navires traversent une zone de tempêtes continuelles qui mettent à rude épreuve équipages et navires. Le 27 janvier 1838, l'*Astrolabe* et la *Zélée* sortent du pack à 7 nœuds.

« Dans l'après-midi, la force du vent augmente et il souffle enfin grand frais avec de violentes rafales, une mer très dure et une brume toujours si épaisse que nous ne pouvons avoir aucune connaissance de la terre, nonobstant sa proximité. »
Journal de Dumont d'Urville

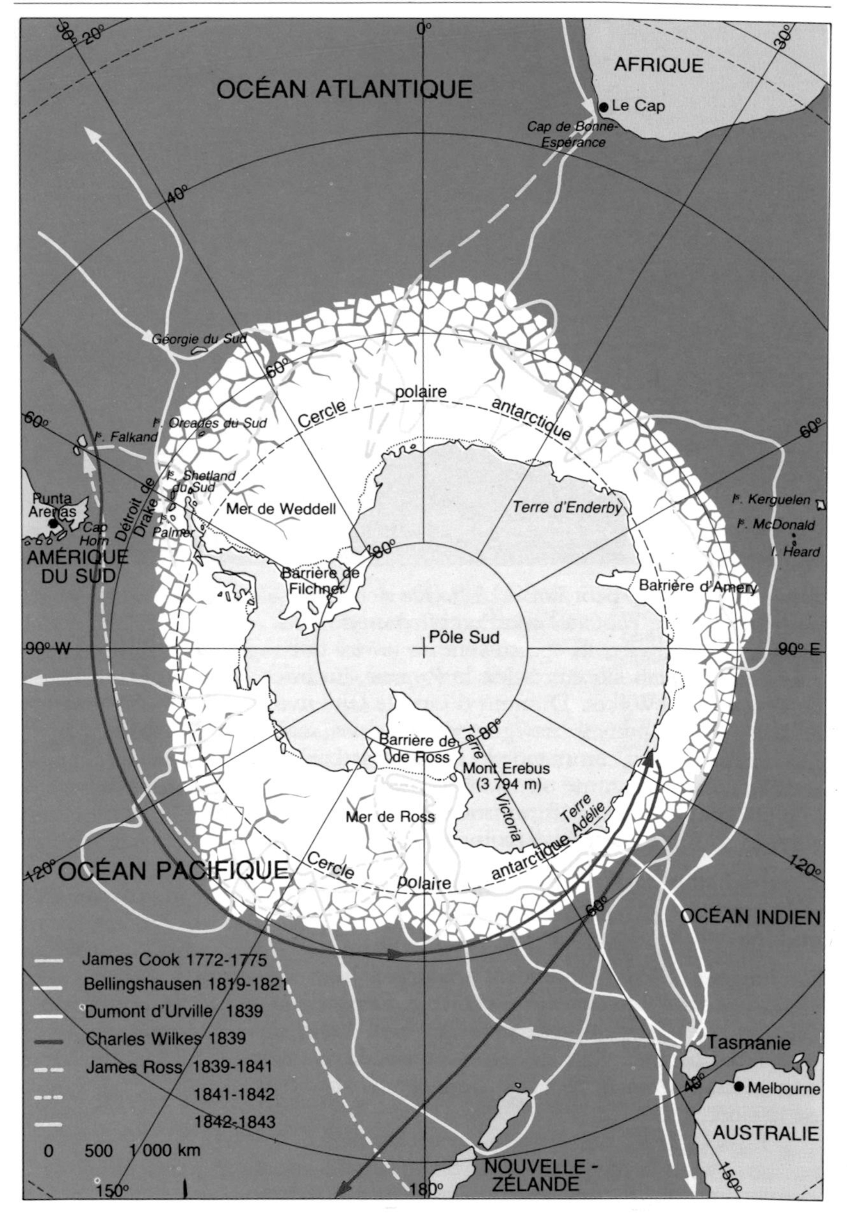

OCÉAN ATLANTIQUE
AFRIQUE
Le Cap
Cap de Bonne-Espérance
Géorgie du Sud
Cercle polaire antarctique
Is. Orcades du Sud
Is. Falkand
Is. Shetland du Sud
Punta Arenas
Cap Horn
Détroit de Drake
Is. Palmer
AMÉRIQUE DU SUD
Mer de Weddell
Barrière de Filchner
Terre d'Enderby
Is. Kerguelen
Is. McDonald
I. Heard
Barrière d'Amery
Pôle Sud
90° W
90° E
Barrière de Ross
Terre Victoria
Mont Erebus (3 794 m)
Mer de Ross
Terre Adélie
OCÉAN PACIFIQUE
OCÉAN INDIEN
Tasmanie
Melbourne
AUSTRALIE
NOUVELLE - ZÉLANDE
James Cook 1772-1775
Bellingshausen 1819-1821
Dumont d'Urville 1839
Charles Wilkes 1839
James Ross 1839-1841
1841-1842
1842-1843
0 500 1 000 km

appareille sous le commandement de Charles Wilkes, un lieutenant de vaisseau de quarante ans.

Une première campagne autour de la Terre de Graham se solde par un échec. Deux navires complètement inadaptés sont renvoyés aux Etats-Unis. Les autres traversent le Pacifique et relâchent à Sydney. Le 26 décembre 1839, cinq jours avant Dumont d'Urville, Wilkes appareille pour le sud. Le 19 janvier, jour où Dumont d'Urville découvre la Terre Adélie, il se trouve à 500 nautiques à l'est. Là, il a l'impression d'apercevoir une nouvelle terre. Mirage complet, puisque l'on sait aujourd'hui que cette côte se trouve en fait à plus de 300 nautiques dans le sud... Mais Wilkes aura plus de chance à l'ouest de la Terre Adélie où le *Vincennes* fera voile pendant 12 jours le long d'une côte nouvelle qui porte maintenant son nom.

Ayant perdu 60 matelots déserteurs, et mécontenté ses officiers, Wilkes rentre aux Etats-Unis. Il est traduit devant un conseil de guerre qui, finalement, l'acquitte. Des années plus tard, on reconnaîtra l'importance du voyage de Wilkes, et on réhabilitera son courage.

La troisième expédition, celle de sir James Clark Ross, parfaitement préparée, sera aussi la plus réussie

Le but est d'abord scientifique : étudier le magnétisme terrestre, au moment où le physicien allemand Karl Friedrich Gauss vient de publier une formule permettant de donner les éléments du champ magnétique terrestre en tous points de la terre. Cette théorie doit être confrontée avec l'expérience ; le géographe Alexandre von Humboldt préconise des campagnes de mesure pour la vérifier.

Ross, choisi comme chef d'expédition, a déjà localisé le pôle magnétique Nord. Il dispose de deux navires, l'*Erebus* et le *Terror,* gréés en trois-mâts barques et renforcés pour la navigation dans les glaces. Le seul civil à bord est un naturaliste de vingt et un ans, Joseph Hooker, qui étudiera les lichens de l'Antarctique. A l'automne austral 1840, Ross est à Hobart, dont le gouverneur, Franklin, est l'un des grands explorateurs de l'Arctique. Il apprend les détails de la découverte de la Terre Adélie ainsi que l'itinéraire de Charles Wilkes. Ainsi renseigné, Ross peut prendre sa décision : « J'ai vraiment été très étonné que les commandants de ces grandes expéditions nationales aient choisi comme secteur de navigation antarctique justement celui que j'avais mission d'explorer, comme ils le savaient fort bien... J'ai donc résolu immédiatement de ne pas interférer avec leurs découvertes et choisi le méridien 170° est pour faire route au sud et si possible atteindre le pôle magnétique. » Cette décision va lui permettre les découvertes les plus spectaculaires du XIXᵉ siècle.

Ross appareille de Hobart en novembre 1840, avec l'*Erebus* et le *Terror*. Début janvier, pendant quatre jours, il franchit une barrière de pack, se retrouve dans une mer d'eau libre et découvre le cap Adare par 71° sud. Les navires continuent vers le sud longeant une grande chaîne de montagnes, la Terre Victoria : le record de latitude de Weddell est battu. A bord, c'est l'enthousiasme, on fait des paris sur un rendez-vous des deux navires par 80 ° sud. Fin janvier, la progression est stoppée par 77 ° 10' sud devant une baie que Ross baptise McMurdo, au pied d'un volcan actif, l'Erebus, qui culmine à 3 785 m.

Quittant McMurdo, l'*Erebus* et le *Terror* découvrent une immense falaise de glace, qui surplombe la mer de 50 m et s'étend sur 800 km. Sur la route du retour, Ross songe à hiverner, mais ne trouvant pas d'emplacement sûr, il relâche finalement à Hobart, le 6 avril 1841. Brillante campagne, multiples découvertes : hommes et navires sont prêts à repartir.

Cette fois, il s'agit de percer le mystère de cette grande falaise de glace, la barrière de Ross. A bord, des vivres pour trois ans. Malheureusement, le temps n'est pas aussi clément que l'année précédente, et avant d'arriver à la barrière, Ross doit faire demi-tour et se diriger vers les Falkland, car l'hiver est déjà là. Il repartira une troisième fois, pour continuer la route de Weddell. Mais, début mars 1843, les deux navires ne sont qu'à 71° 30', il est tard dans la saison, il faut abandonner. L'*Erebus* et le *Terror* rentrent en Angleterre en septembre 1843, après quatre ans d'absence.

« Le magnétisme terrestre est sans aucun doute le grand objectif scientifique de l'expédition et doit faire l'objet des plus grands soins de la part du commandant J.C. Ross et de ses officiers. »

C'est avec ces instructions de la Royal Society que James Clark Ross, le neveu de sir John Ross, l'explorateur de l'Arctique, prend le commandement du *Terror* et de *l'Erebus*.

Au lendemain des guerres napoléoniennes, la Royal Navy a perdu la plus grande partie de ses effectifs : elle n'a conservé que 19 000 hommes au lieu de 140 000 quelques années plus tôt. Dans la paix revenue, il lui faut se trouver d'autres titres de gloire. L'Amirauté, sous l'impulsion de John Barrow, opte pour une politique de prestige : les Anglais vont relancer les expéditions polaires.

CHAPITRE III

LA COURSE AU NORD

Fridtjof Nansen, le plus grand explorateur de l'Arctique, encouragea, sa vie durant, les recherches polaires. La ténacité de lady Jane Franklin à retrouver la trace de son mari l'amena à monter quatre opérations de recherche qui firent progresser les connaissances géographiques.

En 1817, le capitaine de baleinier William Scoresby signale que les eaux arctiques sont libres de glaces – encore aujourd'hui on ne peut guère prévoir la situation de la banquise. Sans perdre de temps, Barrow lance deux missions, tandis que le Parlement accorde une récompense de 5 000 livres (plus de dix fois la solde d'un capitaine de vaisseau) au premier navire qui dépassera la longitude 110°ouest au nord du cercle polaire. En 1818, John Ross, parti avec l'*Isabella* et l'*Alexander,* échoue dans la recherche du passage du nord-ouest. Son second, Parry, est persuadé, lui, qu'il existe un passage ; à son retour, il obtient la confiance de Barrow, qui ne veut pas se tenir pour battu.

« Le 5 septembre 1819, j'assemblai tout l'équipage de l'*Hecla* et je lui annonçai officiellement qu'il avait droit à la récompense de 5 000 livres sterling pour avoir traversé le 110e méridien. J'augmentai à cette occasion la ration ordinaire de viande et j'y ajoutai une distribution de bière. »
Journal d'Edward Parry

L'exploration par mer ne suffit pas : on la double d'une expédition par terre

A Parry, Barrow donne le commandement de deux navires, l'*Hecla* et le *Griper*. Dans le même temps, il charge John Franklin, un ancien de Trafalgar, d'une

reconnaissance des côtes par voie de terre à partir des comptoirs de la baie d'Hudson. Parti en mai 1819, Parry atteint en septembre l'île Melville, par 110 ° ouest, gagnant du même coup les 5 000 livres de récompense et rapportant en Angleterre les éléments permettant de cartographier 1 000 km de côtes.

De 1819 à 1822, Franklin, lui, parcourt 8 800 km, dont 850 de côte en bordure de l'Arctique. Reparti en 1825, il dépasse le méridien 110°ouest vers l'est. La connexion des reconnaissances de Parry, de celles de Franklin et des relevés effectués en 1837 jusqu'à la péninsule de Boothia par deux hommes de la Compagnie d'Hudson, Simpson et Dease, devrait permettre de déterminer le passage.

Franklin veut être le premier : en 1845, il se lance à nouveau, par voie maritime, avec deux navires, l'*Erebus* et le *Terror,* et cent vingt-neuf hommes. Pas un ne reviendra vivant.

Fin juillet 1821, Franklin atteint l'embouchure du fleuve Coppermine. Là, rapporte-t-il dans son Journal, « on commença à suivre la côte de l'Amérique avec deux canots en se dirigeant du côté de l'est. Dans les endroits les plus remarquables et dont on jugeait que le capitaine Parry pourrait approcher s'il pénétrait dans cette mer, on élevait un poteau surmonté d'un pavillon et l'on y déposait une lettre contenant tous les renseignements qui pouvaient lui être utiles ».

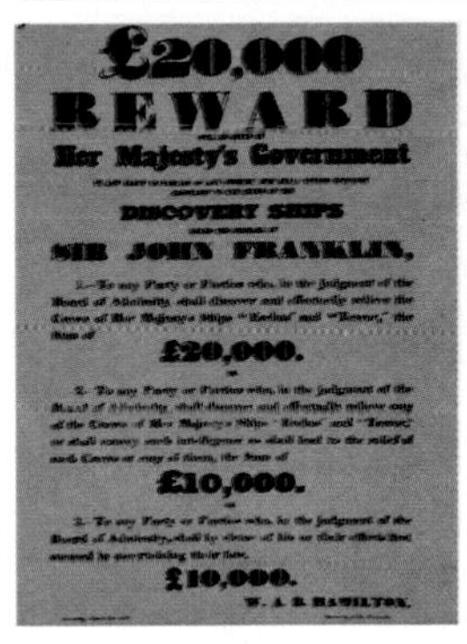

L'Amirauté britannique offre 20 000 livres de récompense à qui donnera des nouvelles de l'expédition Franklin. Le tableau illustre la quête menée par l'*Investigator,* parti le 10 janvier 1850 sous le commandement de Robert Mc Clure, décidé à tenter le passage du nord-ouest tout autant que la recherche de Franklin. Trois ans de suite, il reste bloqué dans les glaces et ne regagne l'Angleterre qu'en 1853.

A partir de 1847 commence une gigantesque opération de sauvetage : pendant dix ans, quarante navires vont chercher les traces de l'*Erebus* et du *Terror*

Alors même qu'il n'y a plus d'espoir, lady Jane Franklin ne veut pas abandonner. A force de persuasion, elle obtient l'aide de l'Amirauté, puis du président des Etats-Unis, et enfin du tsar lui-même.

Les années passent, les expéditions se succèdent : pas de trace des navires, du moins dans les zones quadrillées. Reste un secteur à explorer, celui qui sépare le détroit de Lancaster de la côte américaine, plus au sud. En 1854, le témoignage d'Esquimaux évoquant la mort d'hommes blancs à l'embouchure de la Great Fish River, c'est-à-dire dans cette zone encore inexplorée, permet de recibler les recherches. Lady Jane ouvre une souscription nationale, et confie le commandement du *Fox,* un yacht de 30 m, au capitaine de vaisseau McClintock, un vétéran qui a déjà participé à trois missions. Au printemps 1859, celui-ci trouve enfin, dans un cairn sur l'île du Roi-Guillaume, un tube métallique contenant des messages de l'expédition.

Ces notes écrites par des officiers permettent de reconstituer l'itinéraire de l'*Erebus* et du *Terror,* entre 1845 et 1848, et de connaître les circonstances de la mort des membres de l'équipage : sir John Franklin est mort le 11 juin 1847, les navires ont été abandonnés le 22 avril 1848, et les survivants, cent cinq hommes au total, se sont dirigés à pied vers l'embouchure de la Great Fish River. On retrouvera plus tard des squelettes tout au long de ce calvaire de 250 km, mais des deux navires, nul ne retrouvera jamais la trace.

On peut voir aujourd'hui, à l'abbaye de Westminster, un monument rendant hommage « à sir John Franklin et à ceux qui sont morts avec lui en

Franklin part pour la première fois dans l'Arctique en 1819 ; il y retourne en 1845, toujours à la recherche du passage du nord-ouest et y meurt en 1847, à 61 ans

La mort de Franklin, révélée après dix ans d'une quête tragique, frappe les imaginations. On sait, d'après le document retrouvé par McClintock, que Franklin avait hiverné en 1845-1846 à l'île Beechey, après avoir cherché en vain un passage par le nord, dans le canal de Wellington. Pendant l'été 1846, faisant route au sud, l'*Erebus* et le *Terror* se retrouvent bloqués par les glaces à 12 nautiques au nord-ouest de l'île du Roi-Guillaume. Les deux équipages restent à bord pendant 18 mois, puis abandonnent les bâtiments pour une marche sans espoir, dont nul ne reviendra. Les peintres interprètent cet épisode pour en donner la vision la plus dramatique. Sur ce tableau de la fin du XIXe siècle, l'explorateur meurt, non pas à bord de l'*Erebus*, mais près d'une chaloupe tirée à terre par les marins survivants.

Le phare d'Eddystone

L'*Assistance* et le *Pioneer* dans la tempête

La quête de Franklin

Depuis 1845, l'Angleterre est sans nouvelles de Franklin parti avec deux navires, l'*Erebus* et le *Terror*, et des vivres pour trois ans au moins. En 1847, l'inquiétude grandit et l'Amirauté, après avoir consulté des vétérans de l'Arctique, Ross et Parry entre autres, décide d'envoyer trois expéditions sur les routes que Franklin aurait dû suivre. 1848 : premiers départs, premiers échecs, suivis de préparatifs de nouvelles recherches, cette fois par l'ouest et par l'est en même temps.

Au printemps 1850, une flotille de 4 navires est constituée, commandée par le capitaine de vaisseau Horatio Austin : 2 voiliers, le *Resolute* et l'*Assistance*, et 2 navires à hélice, l'*Intrepid* et le *Pioneer*, un steamer de 430 t, commandé par Sherard Osborn, âgé de 28 ans.
L'usage des bateaux à vapeur dans les glaces était alors tout à fait inédit.

Leur mission : explorer la région située entre la passe de Wellington et l'île Melville. Dans le même temps, des initiatives privées arment d'autres bateaux et, cette même année 1850, 12 navires prennent la mer pour rechercher Franklin.

Le cap Nord à minuit

Le 3 mai, l'escadre quitte l'Angleterre et passe le phare d'Eddystone. Au cours du voyage, elle est prise dans une tempête, puis découvre peu à peu les falaises de glace et les icebergs.

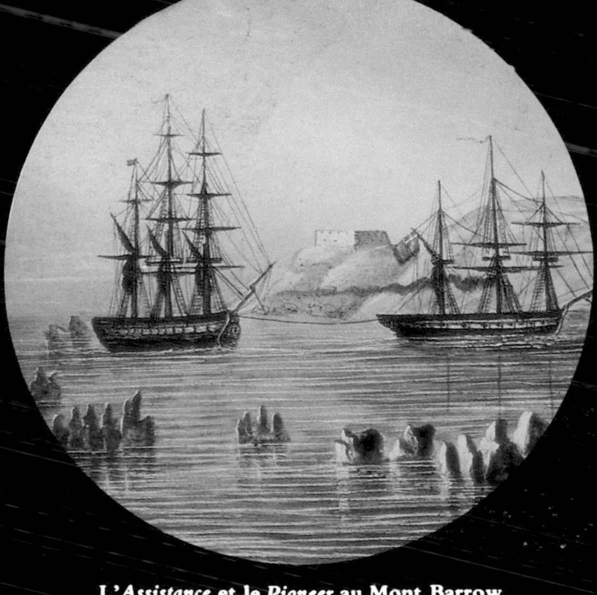

L'*Assistance* et le *Pioneer* au Mont Barrow

Encerclés par les icebergs

Au cours de l'été, l'expédition retrouve les premiers quartiers d'hiver de Franklin, dans l'île Beechey. En octobre, les 4 navires sont immobilisés par les glaces, dans le détroit de Barrow, près de la *Lady Franklin* de John Ross.

Victoria Harbour

Sur le lieu d'hivernage, par une température extérieure qui descend parfois jusqu'à - 51°, la vie s'organise, pour beaucoup sous l'impulsion d'Osborn ; des igloos et des abris sont construits ; représentations et conférences rythment ces jours si courts, certains sortent chasser l'ours ou le renard polaire, les plus artistes sculptent la glace.

Le détroit de Barrow

Les quartiers d'hiver

Le village de neige

Des officiers mettent au point des traîneaux et entreprennent de longues reconnaissances, prélude à une expédition par terre qui doit démarrer au printemps. En avril 1851, 200 hommes répartis en deux groupes partent vers le sud et vers l'ouest, effectuant des relevés de la côte et des îles, couvrant en tout plus de 11 000 km, sans toutefois trouver la moindre trace des vaisseaux de Franklin. En août, les vaisseaux sont enfin libérés des glaces et Austin et ses compagnons regagnent l'Angleterre, dans la déception générale. Mais la quête ne s'arrête pas là.

Fury Beach

Un campement pour la nuit

La même escadre est désignée, sous le commandement de sir Edward Belcher, qui est à bord de l'*Assistance*, tandis que Sherard Osborn reprend le commandement du *Pioneer*. Ensemble, ils remontent le détroit de Wellington jusqu'au détroit de Northumberland, où ils hivernent. Du 10 avril au 15 juillet 1852, Osborn tente un raid en traîneau ; les navires se dirigent ensuite vers le sud, mais se font à nouveau bloquer par les glaces et passent l'hiver 1853 dans le détroit de Wellington. L'hivernage se passe mal : les différends sont nombreux entre Belcher, capitaine ombrageux et dictatorial, et les autres officiers. Finalement, au printemps suivant, Belcher donne à ses hommes l'ordre d'abandonner les navires et de rentrer sur l'un d'eux. Cette seconde expédition n'aura pas eu plus de résultats que la première.

Le pont de glace

Ross 1818
Parry 1819-1820
Franklin 1819-1822
Franklin 1825-1827
Franklin 1845-1848
Nordenskjold 1878-1879
Nansen 1893-1896
Amundsen 1903-1905
Peary
Cook
Pôle Magnétique Ross 1831
Itinéraire controversé
Itinéraire controversé
OCÉAN PACIFIQUE
KAMCHATKA
Mer d'Okhotsk
180°
150°
50°
60°
Détroit de Béring
Presqu'île des Tchouktches
Cercle polaire arctique
Mer des Tchouktches
Alaska
CANADA
Cap Chélagsky
Kolyma
Iakoutsk
I. Wrangel
Barrow
Mer de Sibérie orientale
Sibérie
70°
Mackenzie
120°
Grand Lac de l'Ours
Mer de Beaufort
OCÉAN ARCTIQUE
Léna
Coppermine
Ile Banks
Détroit de Dease
I. de Nouvelle-Sibérie
80°
Terre Victoria
Mer de Laptev
Détroit de Victoria
I. Melville
I. Parry
Cap Tchélioușkine
U.R.S.S.
Peel Sound
Sévernaïa Zemlia
90°W
Détroit de Barrow
Pôle Nord
90°E
Terre Ellesmere
Cap Columbia
Dickson
Iénisseï
Lancaster Sound
Smith Sound
Mer de Kara
Terre de Baffin
Thulé
Terre François-Joseph
Mer de Baffin
Novaïa Zemlia
I. Vaïgatch
Ob
Spitzberg (Svalbard)
Mer de Barents
GROENLAND
Mer du Labrador
Cap Nord
Mourmansk
Arkhangelsk
Dvina
Cercle polaire arctique
Scandinavie
ISLANDE
Reykjavik
Mer de Norvège
Leningrad
I. Féroé
Oslo
Moscou
OCÉAN ATLANTIQUE
I. Schetland
0 500 1 000 km
0°
30°

découvrant le passage du nord-ouest ». Sombre victoire... Cinquante ans vont passer, pendant lesquels les gouvernements et l'opinion s'intéressent à bien d'autres choses.

En 1905, c'est un Norvégien presque solitaire qui trouve enfin le passage

A bord d'un vieux cotre de pêche empli de provisions pour trois ans, le *Gjoa,* Roald Amundsen arrive à l'île Beechey. Pendant deux ans, avec ses six compagnons, il va séjourner non loin d'une tribu esquimaude, au sud-est de l'île du Roi-Guillaume. Deux ans d'hivernage, à réaliser des enregistrements magnétiques qui permettront de localiser le pôle magnétique de surface, et à étudier le mode de vie des Esquimaux, le seul exemple à suivre pour survivre dans le froid.

Enfin, le 13 août 1905, le *Gjoa* appareille vers l'ouest ; fin août, il rencontre un voilier américain qui vient de... San Francisco. La jonction est opérée. Le passage du nord-ouest, lieu de tant de sacrifices et d'héroïsme, est enfin ouvert. Il va pourtant rester largement inutilisé.

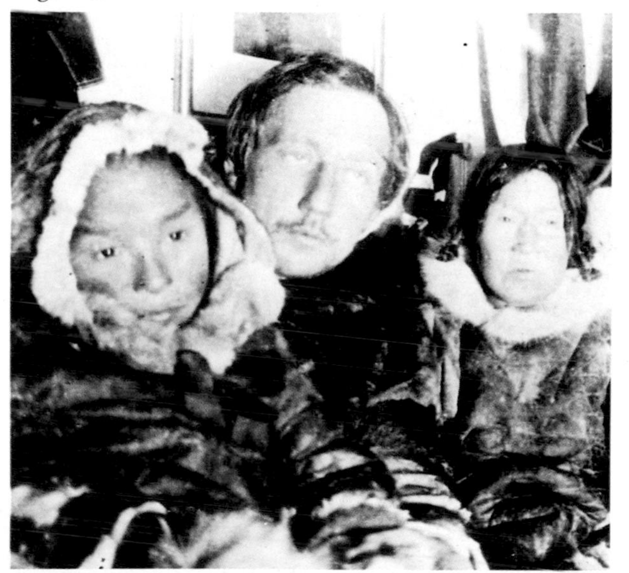

En 1903, Amundsen hiverne dans une crique de l'île du Roi-Guillaume, cette même île où, un demi-siècle plus tôt, on a retrouvé les restes de l'expédition Franklin. Un campement de 200 Esquimaux vient s'installer près du *Gjoa*, proposant des vêtements en fourrure de renne en échange d'aiguilles et de couteaux. Amundsen et ses compagnons portent ces vêtements indigènes « bien préférables à n'importe quel costume européen, quelque chaud qu'il soit ».

De Göteborg à Yokohama, la *Vega* ouvre enfin la route du passage du nord-est

Lorsque Nordenskjöld quitte Göteborg le 4 juillet 1878 avec ses deux navires, la *Vega* et la *Lena,* il a derrière lui des expéditions au Groenland et au Spitzberg ainsi qu'en mer de Kara : il sait ce qui l'attend. Membre de l'Académie des Sciences, il concilie programme scientifique et motivations économiques. Le roi de Suède et deux hommes d'affaires, Oscar Dickson, un Suédois, et Sibiriakov, un Russe, commanditent d'ailleurs l'expédition. Le 19 août, les deux navires passent le cap Chelyuskin (77 ° 34' nord), record européen à l'est. Calme plat sur la mer, calme plat sur la terre : des lichens et des mousses à perte de vue.

Nordenskjöld a 47 ans lorsqu'il réussit a mener la *Vega* de Suède à Yokohama, au Japon. Cette baleinière de 45 m de long possédait une coque en chêne doublée de greenhart et une machine à vapeur de 60 ch. Il y avait à bord un gouvernail et une hélice de rechange.

Arrivée à l'embouchure du fleuve dont il porte le nom, la *Lena* le remonte, sur 1 500 km, pour arriver à Yakoutsk, tandis que la *Vega* continue vers l'est, et, malgré des zones de pack, arrive début septembre au cap Chelagsky, à la longitude 180°. En ce point précis on change de date et on gagne une journée, comme Philéas Fogg, le héros de Jules Verne. Mais la mer commence à geler : il ne reste que 3 nautiques pour atteindre l'eau libre, le détroit de Béring n'est qu'à un jour de route, et pourtant Nordenskjöld est forcé d'hiverner chez les Tchoukotes. Hiverner c'est patienter neuf mois à regarder les vents se briser sur la glace et à faire du troc avec les tribus. Le lieutenant Norqvist profite de cette longue pause pour rédiger un dictionnaire et une grammaire tchoukotes... On confie même du courrier au chef de la tribu pour Mme Nordenskjöld et pour le roi de Suède. Les postes tchoukotes ne fonctionnent pas si mal : les lettres arriveront cinq mois plus tard.

Pendant l'hivernage : une soirée dans le « carré » des officiers à bord de la *Vega*.

« La *Jeannette* fut écrasée par les glaces et sombra le 12 juin 1881 par 77° 15' N et 155° E, après 22 mois de dérive à travers l'océan... Les 33 hommes, officiers et matelots, composant son équipage ont traîné 3 bateaux et leurs provisions sur la banquise jusqu'au 76° 38' N et 150° 30' E où ils ont abordé sur une île nouvelle, l'île Bennett, le 19 juillet. De là, ils se sont dirigés vers le sud... Le 10 septembre, ils abordèrent à l'île Semenovski, à 90 nautiques au nord du delta de la Lena. Le 12, ils en partirent ensemble avec leurs embarcations, mais la nuit suivante ils furent séparés par une tempête. »

Dans un message retrouvé après sa mort, de Long, le commandant de la *Jeannette* résume la première partie du drame. Ensuite les trois embarcations connaîtront un sort différent. Le canot n° 2, avec 7 hommes, sera perdu corps et biens. Les 11 hommes de la baleinière seront sauvés par des proscrits russes habitant la côte. Quant aux hommes du canot n° 3, commandé par de Long, ils mourront de faim et d'épuisement.

Le 18 juillet de l'année suivante, la *Vega,* libérée des glaces, reprend sa route et arrive le 2 septembre à Yokohama. Au Japon, c'est l'enthousiasme : tous veulent célébrer l'exploit de Nordenskjöld, l'empereur le premier, qui le reçoit en audience pour le décorer. Durant le voyage de retour, par le sud du continent asiatique, chaque escale est un triomphe. A Paris, le président de la République et Victor Hugo reçoivent l'explorateur. Lorsque, le 24 avril, la *Vega* arrive à Stockholm, le roi Oscar décrète ce jour fête nationale.

Qu'y a-t-il au sommet du monde ? Un océan ou un continent ?

En 1879, James Gordon Bennett, le puissant propriétaire du *New York Herald,* qui s'est rendu célèbre en envoyant Stanley à la recherche du docteur Livingstone, est toujours en quête de reportages inédits : cette fois, c'est le mystère du pôle Nord qu'il veut percer, et offrir en première à ses lecteurs. Il envoie un petit vapeur, la *Jeannette,* dans les glaces au nord du détroit de Béring.

Echec total : en juin 1881, par 77° 15' nord, la *Jeannette* est écrasée par les glaces. Seuls quelques rescapés regagneront l'Amérique, aidés par les Russes. Ecrasée ne veut pas dire engloutie. A trois ans de distance, en 1884, un jeune universitaire norvégien, Fridtjof Nansen, apprend que des Esquimaux ont trouvé des épaves de la *Jeannette* à 2 900 nautiques du lieu du naufrage, sur la côte sud-ouest du Groenland.

Révélation : ces débris, entraînés par la glace de mer, ont donc dérivé à travers tout l'océan Arctique, à raison de 2 ou 3 nautiques par jour. Hypothèse : pourquoi ne pas faire prendre la même route à un navire conçu pour résister – et échapper – à la pression des glaces ? Etre immobile au pôle, c'est continuer à avancer. Réalisation : en 1890, Nansen a vingt-neuf ans, il est docteur ès sciences depuis plusieurs années, il offre donc toutes les garanties scientifiques. Il vient d'effectuer la traversée à ski du Groenland, d'est en ouest : il est donc parfaitement entraîné physiquement.

Arrivé à l'embouchure de la Lena, de Long envoie le charpentier de bord, Ninderman, chercher avec un compagnon du secours dans les environs. Recueillis par des Tourgouzes, après une marche épuisante, ils s'efforcent d'expliquer la situation et leur demandent d'aller prêter secours à leurs compagnons. Peine perdue : aucune langue ne permet à ces autochtones et à ces marins américains de se comprendre. Plusieurs mois plus tard, on retrouvera les corps de de Long et de ses compagnons.

Il expose ses idées à diverses sociétés savantes. Au gré des options spéculatives – le pôle Nord est-il une mer ou une terre ? –, on l'écoute avec enthousiasme – en Norvège et en Suède –, avec condescendance – en Angleterre –, ou avec le plus grand septicisme – en Amérique.

Quoi qu'il en soit, Nansen est décidé à tenter l'aventure : les critiques n'ont pas été suffisamment fortes pour le faire changer d'avis. Disposant de l'argent nécessaire (25 000 livres fournies par les Norvégiens), il dessine avec Colin Archer, un architecte écossais, un bateau baptisé le *Fram,* dont la coque arrondie doit se soulever sous la pression des glaces.

Face au projet de Nansen, les critiques se multiplient. Critiques dirigées contre le *Fram*. Pour l'amiral Nares, « on a dit que le navire sera très solide et se soulèvera avec la pression de la glace ; mais quand un navire est pris dans les glaces, la forme ne change rien car il fait bloc avec la glace qui l'enserre » ; pour Joseph Hooker, le dernier survivant de l'expédition de Ross dans l'Antarctique, « le *Fram* ne pourra résister à la pression de la glace que si elle ne dépasse guère sa ligne de flottaison ». Critiques contre Nansen lui-même, par le général américain Greely : « Nansen n'a aucune expérience de l'Arctique et emmène ses hommes à la mort. »

Le 24 juin 1893, le *Fram* appareille du port de Bergen avec douze hommes et trente-quatre chiens samoyèdes

Son but : se faire prendre dans les glaces au nord de l'embouchure de la Lena. Fin septembre, après avoir emprunté le passage du nord-est le long de la Sibérie, Nansen atteint la limite du pack par 77° 14' nord, au nord de l'embouchure de la Lena : « 24 septembre. Quand la brume s'est levée, nous avons découvert que nous étions entourés de glace assez épaisse... La région est morte ; aucune vie nulle part, excepté un phoque et des traces récentes d'ours blanc. »

Les dispositions d'hivernage sont prises, le gouvernail est remonté dans un puits spécial qui le protégera. « La glace s'entrechoque et se chevauche autour de nous avec un bruit de tonnerre. Elle s'accumule en longs monticules et en talus plus hauts que le pont du *Fram.* »

Les six premières semaines sont loin d'être rassurantes : le *Fram* dérive vers le sud-est, à l'opposé de son objectif. En décembre, la dérive s'inverse, et le navire se retrouve à la même latitude que deux mois plus tôt... La véritable traversée de l'Arctique commence.

Un an plus tard – un an de vie monotone, traversée par de rares apparitions d'ours – le *Fram* a parcouru 300 nautiques en se rapprochant du pôle Nord. Mais il est probable que la trajectoire de la dérive ne dépassera pas 85° nord.

Le bassin polaire que Nansen décide d'explorer avec le *Fram* est un océan de plusieurs milliers de mètres de profondeur, couvert d'une glace de mer de 3 à 4 m d'épaisseur. S'il n'y a pas de houle, comme sur les autres océans, en revanche la glace y est en mouvement constant, sous l'influence des marées, du vent et des courants océaniques. Ce mouvement provoque des crêtes de pression, les hummocks, où les bords de deux blocs, les floes, projetés l'un vers l'autre, forment avec la jeune glace des talus atteignant jusqu'à 4 m de haut, avec un tirant d'eau de plus de 15 m. La navigation à l'estime, c'est-à-dire l'évaluation de la distance parcourue, y est très aléatoire. Il faut continuellement franchir ou contourner des hummocks, ce qui allonge le parcours et rend très difficile le calcul d'un cap.

Le *Fram* n'ira peut-être jamais au pôle, mais Nansen, lui, n'abandonne pas

Qu'à cela ne tienne : avec un compagnon, trois traîneaux, deux kayaks et vingt-sept chiens, Nansen va partir pour le pôle, pour rejoindre ensuite la Terre François-Joseph, à 1 000 nautiques (1 852 km) : en calculant bien, quatre ou cinq mois de route, pendant le printemps polaire.

Nansen et son compagnon Johanssen ont pris cent jours de vivres, et les chiens, selon la dure loi de l'Arctique, seront tués au fur et à mesure pour servir de nourriture aux autres. Pour atteindre le pôle, ils ont 360 nautiques (667 km) à couvrir. Ils partent le 14 mars 1895.

Le 8 avril, Nansen n'est qu'à 86° 3' nord : trois semaines pour 123 nautiques. Les hummocks ont

« La glace était ici, la glace était là-bas. La glace s'étendait livide à l'infini. Elle craquait, criait et grondait et hurlait.
Tels les bruits qu'on entend lorsqu'on s'évanouit. »

Samuel Coleridge,
la Ballade du vieux marin

ralenti la progression. Force est de faire demi-tour vers la Terre François-Joseph à 360 nautiques au sud-sud-ouest. Et avec le printemps, les canaux d'eau libre se multiplient. A chaque fois il faut charger chiens et matériel sur des kayaks, passer, repartir. « Mercredi 24 juillet. Après deux ans, ou presque, nous voyons quelque chose au-dessus de cette éternelle ligne blanche de l'horizon. »

Terre : à l'extrémité nord-est de l'archipel François-Joseph, Nansen trouve un îlot qu'il baptise Eva, le prénom de sa femme. Restent deux chiens. Heureusement il y a les phoques et les ours...

Le 7 août, en bordure du chenal d'eau libre qui sépare la banquise de la première île aperçue, ils amarrent les deux kayaks ensemble et en font un catamaran. Les voilà progressant à la voile : 100 nautiques en trois semaines, cap sud-ouest.

Puis vient l'hiver : abordant à l'île la plus proche, à mi-chemin du cap Flora, les deux compagnons préparent l'hivernage. On tue des ours, on les dépouille, on s'en habille, on construit une hutte de pierre et on s'éclaire à la graisse de

Lorsque Nansen et Johanssen arrivent en vue de l'archipel François-Joseph, l'été embellit la côte ; c'est la saison où des myriades d'oiseaux nouveaux essaient leurs ailes au ras des pavots jaunes. Un soir la neige est rose : une algue minuscule, la *Spaerella Nivalis*, transmue pour un moment la blancheur ordinaire du paysage. Il n'y a plus d'ours pour menacer les deux hommes, mais cette fois, ce sont des morses qui viennent essayer leurs larges défenses d'ivoire sur le ventre des kayaks.

morse : Nansen et Johanssen survivent comme de vrais Esquimaux.

Le 19 mai 1896, nouveau départ

Leur but : rejoindre le Spitzberg où ils comptent trouver un phoquier norvégien pour les rapatrier. En fait, ils ne savent plus très bien où ils sont. Sur la Terre François-Joseph ou sur la Terre de Gilles ? Immobilisés par de fréquentes tempêtes de neige, ils mettent trois semaines pour atteindre la limite de l'eau libre. Les kayaks redeviennent catamarans, et ils longent des côtes qui semblent bien être celles de la Terre François-Joseph.

Le 17 juin, en reconnaissance à terre, Nansen croit entendre l'aboiement d'un chien. Puis la voix d'un homme. « Qui est-ce ? Je fais de grands signes avec mon chapeau, lui de même, nous nous serrons la main. D'un côté, l'Européen civilisé en costume de sport anglais et bottes de caoutchouc, bien rasé ; de l'autre, un sauvage vêtu de loques sales, noir de graisse et de suie, avec des cheveux longs et une barbe hirsute. » Il s'appelle Jackson. « N'êtes-vous pas Nansen ? – Oui, c'est moi. – By Jove ! Je suis heureux de vous voir. » Ils sont au cap Flora. Le 7 août, Nansen embarque sur le *Windward*, le navire de l'expédition Jackson qui vient ravitailler cette base anglaise, et débarque huit jours plus tard à Vardo.

La course au pôle Nord : l'expédition d'Andrée, une première en ballon

Il n'y a pas à proprement parler d'intérêt scientifique à atteindre le pôle Nord géographique. Reste que par goût de l'exploit et de la notoriété, de nombreux candidats vont se laisser tenter.

Salomon Andrée, ingénieur suédois, pense que le ballon est la solution aux difficultés posées par les

Nansen est rentré à Vardo, mais que devient le *Fram*, abandonné dans les glaces ?
Nansen l'a quitté le 14 mars 1895, laissant le commandement à Sverdrup. Le 20 août 1896, Nansen est à bord de l'*Otaria*, le yacht de sir George Baden Powell ; arrive un télégramme : « Pour Fridtjof Nansen ; le *Fram* est arrivé en bon état ainsi que tout le monde à bord. Nous appareillons tout de suite pour Tromsø. Bienvenue au pays. Otto Sverdrup. » A peine débarqué, après un périple de trois ans, Sverdrup s'est en effet précipité au bureau de poste pour obtenir des nouvelles de Nansen. Les compagnons d'expédition vont tous se retrouver à Tromsø, le 25 août, dans un port pavoisé de centaines de pavillons venus là pour fêter les héros.

Trois jours après son décollage, pris dans le brouillard, alourdi d'une pellicule de glace, l'*Aigle*, le ballon d'Andrée, s'est posé sur la glace de mer, à 300 nautiques dans le nord-est de l'île des Danois. Durant deux mois, les 3 hommes, nourris de viande d'ours, se dirigent à pied, dans un magma de glace pourrie et de neige à demi fondue, vers l'archipel François-Joseph. Ils ne progressent que de 1,7 mille par jour et sont épuisés, tant par leur marche que par leur régime alimentaire. Début octobre, ils atteignent l'île Blanche, un petit îlot rocheux qui sera leur dernière demeure.

chenaux d'eau libre et les hummocks qui gênent la progression sur la banquise. Nous sommes en 1896 : les premières montgolfières ont plus de cent ans, les dirigeables pointent le nez, les avions sont encore dans les rêves des ingénieurs.

Andrée parvient facilement à convaincre le roi de Suède ainsi que le mécène Alfred Nobel de financer cette première polaire originale. Il fait construire son ballon chez Lachambre à Paris, et le baptise le *Oern* (« aigle », en suédois). Mais au Spitzberg, choisi pour point de départ à une dérive de 3 000 km, les vents sont contraires. André renonce et dégonfle son ballon de 4 800 m^3... pour repartir l'année suivante, le 11 juillet, accompagné par Strindberg, un photographe, et Fraenkel, un ingénieur.

On ne devait plus les revoir vivants.

Courant octobre, ils meurent sur l'île Blanche. Ce n'est que 33 ans plus tard que le phoquier norvégien *Bratvaeg* découvre par hasard leur dernier campement, leurs notes, leurs photos et leurs ultimes lettres.

Extraites de deux grands magazines de l'époque, *le Petit Journal* et *la Domenica del Corriere*, ces deux gravures illustrent bien l'intérêt pour les expéditions polaires. Neveu du roi d'Italie, le duc des Abruzzes quitte la gare de Turin sous les acclamations de la foule, pour retrouver son navire dans les eaux polaires. Autre événement à retentissement mondial, la bataille Peary-Cook pour la conquête du pôle Nord.

En 1899, c'est un jeune prince italien, Louis-Amédée de Savoie, duc des Abruzzes, qui se lance à l'assaut du pôle

Son bateau, le *Stella Polare,* gagne l'archipel François-Joseph au cap Fligely, à l'extrême nord de l'île Rodolphe (81° 50' nord). Pendant l'hivernage, le prince a les deux doigts gelés : c'en est fait de ses espoirs de conduire le raid au pôle. Cagni, l'un des officiers, part donc le 13 mars 1900 avec treize traîneaux. La progression est difficile : 6 nautiques par jours en moyenne. Et trois hommes ne reviendront pas... Il atteint, le 24 avril, la latitude 86° 34' nord. Le record de Nansen est battu de peu, mais le pôle reste à conquérir.

PÔLE NORD

Le duel Peary-Cook : bonnes nouvelles ou fausses nouvelles ?

A la même époque, Robert Peary, un ingénieur de la marine américaine, décide lui aussi d'atteindre le pôle « pour y trouver la gloire d'un Christophe Colomb ». De 1886 à 1908, financé par des industriels américains réunis dans le Peary Arctic Club, il va organiser huit expéditions. Les premières, dans l'archipel canadien et au nord du Groenland, lui servent d'entraînement : il en retire une bonne connaissance des techniques esquimaudes, qu'il utilisera largement dans son raid de 1908-1909.

Avec son navire, le *Roosevelt,* il fait escale en août 1908 sur la côte nord-ouest du Groenland et embarque plusieurs familles esquimaudes ainsi que deux cent quarante-six chiens de traîneau.
Il hiverne au cap Sheridan, préparant son raid dans les moindres détails.
On chasse les ours blancs, les caribous et les bœufs musqués ; on accumule viande fumée, graisse pour éclairer et chauffer, on construit des traîneaux et des harnais pour les chiens, pendant que les femmes cousent des vêtements de fourrure et des bottes.

Le 1er mars 1909, Peary part du cap Columbia avec dix-sept Esquimaux, dix-neuf traîneaux, cent trente-trois chiens, cinq Blancs et un Noir, son assistant de toujours, Matthew Henson. Un mois plus tard (latitude 87° 47' nord), le dernier groupe de support, commandé par Bartlett, se replie. Avec Henson et quatre Esquimaux, Peary continue vers le nord.

Le 27 avril, quatre jours seulement après Bartlett, Peary revient triomphant à bord du *Roosevelt,* affirmant que le 6 avril il a atteint le pôle. « La bannière étoilée a été épinglée sur le pôle Nord », télégraphie-t-il le 5 septembre, dès son arrivée à Indian Harbor. Avec ce cri de victoire, la polémique commence.

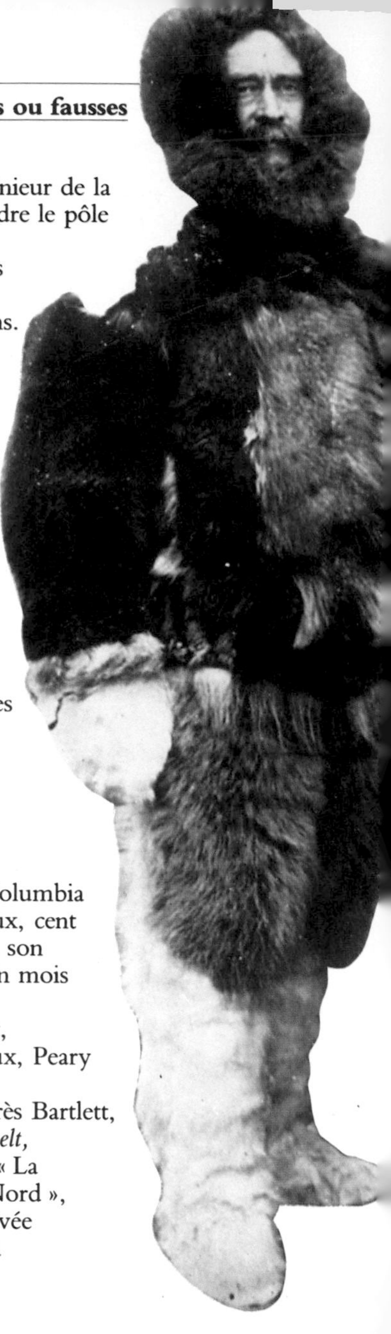

1er septembre. Le *New York Herald,* toujours à la pointe du grand Nord, reçoit un télégramme : « J'ai atteint le pôle Nord le 21 avril 1908 et découvert une terre dans le grand Nord. » C'est signé Frédéric Cook, médecin américain, qui avait accompagné Peary dans le nord du Groenland, et sauvé, en 1897-1899, l'expédition antarctique belge du baron de Gerlache.

De 1907 à 1908, Cook, dont le voyage est financé par John Bradley, un riche Américain, a hiverné à Annootak, un village esquimau situé à 700 nautiques (1 300 km) du pôle, bien au sud du cap Columbia. Il en est parti le 19 février 1908, avec onze Esquimaux, onze traîneaux et cent trois chiens, et aurait atteint le pôle le 21 avril. Forcé d'hiverner dans une caverne du cap Sparbo, au nord de l'île d'Ellesmere, il ne rentre à sa base que le 15 avril 1909, après une absence de quatorze mois.

8 septembre. « Cook n'est jamais allé au pôle, ni le 21 avril 1908 ni à une autre date. Il a simplement escroqué le public. J'ai des preuves », dit Peary interrogé par un journaliste. Entre les deux anciens amis, la guerre est déclarée.

Les journaux vont faire du sensationnel en s'assurant l'exclusivité de l'un ou l'autre des deux rivaux. Le *Herald Tribune* soutient Cook, le *New York Times* signe avec Peary, qui reçoit aussi l'appui de la très puissante National Geographic Society. L'affaire se politise ; après un débat houleux, le Congrès vote : par 135 voix contre 34, les élus américains déclarent Peary vainqueur officiel et le nomment même contre-amiral, à titre exceptionnel. La polémique ne se clôt pas pour autant, étayée qu'elle est par... l'absence de preuves.

Ni Robert Peary (à gauche), ni Frédéric Cook (ci-dessous), ne peuvent être considérés comme les vainqueurs du pôle Nord. Il semble impossible qu'ils aient pu l'atteindre sans jamais faire d'observations de longitude ni de déclinaison. Il faudra en fait attendre le 23 avril 1948 pour que 4 Soviétiques se posent au pôle avec 3 avions et y calculent leur position : 90° exactement.

Comment Peary a-t-il réalisé une moyenne journalière de 71 km après avoir quitté Bartlett, alors que Nansen, Cagni et même Peary dans ses raids précédents, n'ont jamais dépassé 15 km par jour ?

Et dans le cas de Cook, la conjonction du manque de précision sur les dates, les observations astronomiques et la charge des traîneaux rend le raid au pôle improbable. Il reste que le fait d'avoir survécu un an dans le grand Nord, sur les « ressources » du pays, est déjà en soi une performance exceptionnelle.

A 52 ans, Amundsen, le vainqueur du passage du nord-ouest, devenu depuis le premier homme au pôle Sud, s'envole cette fois pour le Nord

New York, automne 1924. Amundsen, en tournée de conférences aux Etats-Unis, se trouve dans sa chambre du Waldorf Astoria lorsque le téléphone sonne : « Je m'appelle Lincoln Ellsworth, je suis attiré par les explorations polaires ; si vous le désirez, je peux vous fournir les fonds nécessaires à votre prochaine expédition. »

Ingénieur et millionnaire, Ellsworth va devenir l'associé et l'ami fidèle. Voyage utile : Amundsen a réussi, comme il le souhaitait, à intéresser un riche industriel à une exploration aérienne du pôle.

A son retour en Norvège, Amundsen commence les préparatifs d'une expédition aérienne qui explorera pour la première fois la région entre le Spitzberg et le pôle. Avec Riiser Larsen, un jeune officier de l'Aéronavale, il choisit deux hydravions, des Dornier Wal, construits en Italie, avec lesquels il veut se poser au pôle ; il y abandonnera l'un des appareils en récupérant son essence et, de là, rejoindra l'Alaska, survolant ainsi des régions mal connues.

Le 21 mai 1925, six hommes sont au départ : Amundsen et Ellsworth, Larsen et Dietrichsen, les pilotes, et deux mécaniciens. Après 8 heures, ils ont déjà brûlé la moitié de leur carburant, pour avoir dû lutter contre un fort vent de nord-est. Ils se posent sur un chenal d'eau libre, à la latitude 87° 44' nord, à 136 nautiques du pôle. L'un des appareils est endommagé, et le mouvement des glaces a refermé le chenal : il leur faudra trois semaines pour aménager une piste de 500 m sur un grand floe. Le 14 juin, l'hydravion décolle enfin et, huit heures plus tard, se pose à proximité du cap Nord.

Le 5 juillet, c'est, à Oslo, l'accueil triomphal. Tous les navires sur rade acclament l'hydravion ; le roi et la reine sont là pour féliciter Amundsen et Ellsworth.

Lincoln Ellsworth (ci-dessus) a 44 ans lorsqu'il rencontre Amundsen (à gauche) et finance son raid aérien. Les deux hydravions, des Dornier Wal équipés de moteurs Rolls Royce de 360 ch, peuvent se poser indifféremment sur l'eau ou sur la neige. Ils coûtent, à eux seuls, 85 000 dollars.

Autre première, en dirigeable cette fois : la traversée du *Norge*

Les explorations aériennes restent aléatoires : les avions de l'époque n'ont pas une autonomie de vol suffisante pour franchir les longues distances polaires. Le dirigeable, lui, dispose d'un rayon d'action considérable et peut se poser n'importe où par temps calme. En Italie, Riiser Larsen avait rencontré Umberto Nobile, un ingénieur qui construisait alors un dirigeable semi-rigide.

La première performance est à l'actif de celui-ci : le *Norge* quitte Rome le 10 avril 1926, et il est, le 7 mai, à la baie du Roi, au Spitzberg. Ils n'y sont pas seuls : une expédition américaine, celle du capitaine de frégate Byrd et du pilote Bennett, sur un avion trimoteur Fokker a choisi la baie du Roi comme point de départ d'un raid au pôle. L'aller et retour a lieu le lendemain, en 15 h 30 mn...La performance est contestée, en raison de la météo et de la vitesse de l'avion.

Le *Norge,* lui, s'envole le 11 mai à 8 h 50. 16 h 40 plus tard, il atteint le pôle, descend à 200 m d'altitude et largue les trois pavillons de l'expédition, norvégien, américain, italien. Entre le pôle et l'Alaska, l'hydrographe Harris prévoyait un continent. L'équipe du *Norge* n'aperçoit que la banquise recouvrant ce qui s'appelle désormais l'océan Arctique.

C'est dans le petit village de Teller, en Alaska, que le *Norge* se pose finalement, le 14 mai, après 72 h de vol.

Construit par Umberto Nobile, le N-1 est un dirigeable semi-rigide de 19 000 m^3 de volume ; il est équipé de 3 moteurs Maybach de 250 ch, possède une charge utile de 23 t, et surtout, un rayon d'action de 8 000 km, soit le double de la distance du Spitzberg à Nome en Alaska. Amundsen et ses compagnons sont prêts à tout pour l'acquérir, en donner le commandement à Nobile et tenter la traversée. Leur projet plaît immédiatement au Premier ministre italien Mussolini, le chef du parti fasciste. Il vient d'officialiser sa mainmise sur l'Italie, il a besoin de gloire et de publicité, il est prêt à offrir le N-1 s'il bat pavillon italien. L'affaire se règle différemment : les Norvégiens achètent le dirigeable pour 75 000 $ et le rebaptisent *Norge.*

« Il vaudrait mieux ne pas tenter deux fois le destin », dit Mussolini à Nobile...

Les membres de l'expédition du *Norge* : au premier rang, assis, de gauche à droite, Amundsen, Ellsworth et Nobile.

Le succès de Nobile enflamme l'Italie. Les dirigeables semblent le moyen de transport de l'avenir, on songe à ouvrir une ligne Rome-Rio de Janeiro. Mais Nobile s'obstine : il veut utiliser le dirigeable pour une expédition scientifique dans l'Arctique. Malgré les réticences du Duce, il s'envole de Milan le 15 avril 1928, sur le dirigeable *Italia,* frère du *Norge*... Le 6 mai, il est à la baie du Roi, où il retrouve un navire italien de support, le *Città di Milano*. De là, il effectue quelques vols vers les îles de Sibérie.

C'est le 23 mai que l'*Italia* atteint le pôle. On y largue un nouveau pavillon italien et une grande croix de chêne.

Et c'est le retour vers le Spitzberg. Mais le brouillard s'installe, le givre aussi, les vents contraires atteignent 20 à 25 nœuds.

Trente heures après avoir quitté le pôle, l'*Italia* est en pleine tempête de neige. Le dirigeable s'alourdit ; à 19 h 30, le 25 mai, la nacelle heurte violemment la glace

Pour Nobile, qui, bien que non fasciste, se sent intimement italien, c'est une condamnation aux seconds rôles, derrière le couple Amundsen-Ellsworth. L'esprit de complémentarité dont les trois hommes vont faire preuve ne dissimule pas tout à fait certains conflits nés du choc des cultures.

Nobile et huit de ses compagnons se retrouvent sur la banquise avec, dans les débris de la nacelle, 45 jours de vivres, une tente, un revolver et, par miracle, une radio de secours que Biagi a eu le réflexe de serrer contre lui au moment du choc.

La tempête emporte l'*Italia,* qui se perd à jamais, avec les sept autres hommes de l'expédition. Les rescapés sont à 60 nautiques au nord de la Terre du Nord-Est, mais Nobile et le mécanicien sont blessés. Il n'est donc pas question d'y aller à pied. Nobile envoie régulièrement par radio un message de détresse donnant sa position. Le *Città di Milano* a donné l'alerte mais n'entend pas le SOS, pas plus que toutes les radios d'Europe pourtant à l'écoute depuis que l'on a signalé la disparition de l'*Italia*.

Devant ce silence, trois hommes, Zappi, Mariano et Malmgren, décident de partir chercher des secours ; nous sommes le 1er juin. Cinq jours plus tard, un radioamateur d'Arkhangelsk capte le SOS : le contact est enfin établi avec le *Città di Milano*.

Les équipes de sauvetage de six pays vont mettre en œuvre dix-huit navires, vingt-deux avions et mille cinq cents hommes. Les Soviétiques envoient deux brise-glace, le *Malyguin* et le *Krassin*, emportant chacun un avion Junker.

A Oslo, c'est au cours d'un banquet qu'Amundsen apprend la nouvelle :

« Envisagez-vous de participer aux secours ? », lui demandent les journalistes.

« Right away. »

Par ces deux mots, Amundsen vient de sceller son destin.

Mussolini, qui a pourtant demandé l'aide des gouvernements suédois et norvégien, refuse la proposition d'Amundsen, qu'il considère comme ennemi de l'Italie, en raison de ses différends avec Nobile lors de l'expédition du *Norge*. C'est donc Riiser Larsen qui emmène l'équipe norvégienne, cependant qu'Amundsen, ulcéré, cherche à partir à tout prix, et accepte finalement l'offre du gouvernement français : un Latham 47, peu adapté aux vols polaires. Piloté par le capitaine Guilbaud, Amundsen s'envole de Tromsø le 18 juin avec quatre autres compagnons, pour entrer dans la légende...

On ne les reverra jamais.

A bord du *Krassin*, les opérations sont commandées par un explorateur polaire chevronné, le professeur Samoilovitch. Au nord du Spitzberg, le brise-glace rencontre un pack très dur, il a une avarie de gouvernail et casse l'hélice bâbord. Sur les instances de Nobile, en constante communication radio, il va cependant continuer sa route. Le 11 juillet, le *Krassin* retrouve enfin la tente rouge près de laquelle il s'amarre. Les 5 rescapés, Viglieri, Behounek, Trojani, Cecioni et Biagi auront eu plus de chance que leurs camarades.

Nobile, de retour à Rome, est accueilli par une foule enthousiaste, tandis que Mussolini ordonne une commission d'enquête. Acquitté mais humilié par les critiques malveillantes, il ira construire des dirigeables en Union soviétique. Il meurt en Italie en 1978, laissant un dernier témoignage, *le Pôle, Aventure de ma vie*.

Trente jours après l'accident, l'arrivée des secours

Le 24 juin, un monomoteur suédois, qui a réussi à se poser près de la tente rouge des naufragés de l'*Italia*, repart avec un homme à bord : Nobile, qui part à la demande de ses compagnons pour organiser les secours.

Lundberg, le pilote suédois, revient chercher les autres naufragés, mais il capote à l'atterrissage et vient s'ajouter aux survivants du camp. Aussitôt, Nobile se voit critiqué d'être parti le premier ; pourtant, malgré ses blessures, il va jouer un rôle déterminant pour guider les Russes.

Le Junker du brise-glace *Krassin* repère, le 10 juillet, sur la banquise, deux hommes qui lui font des signes. Ce sont Zappi et Mariano, les équipiers de Nobile partis depuis plus d'un mois chercher des secours – le troisième, Malmgren, les pieds gelés, a préféré mourir pour ne pas retarder ses deux compagnons. Le *Krassin* réussit à les récupérer trois jours plus tard : Zappi, chaudement vêtu et très en forme, semble avoir largement spolié son camarade – Mariano, très affaibli, devra être amputé quelques jours plus tard – on l'accusera même, mais sans preuves, de cannibalisme.

Le soir même, le *Krassin* récupère les ultimes rescapés, les cinq survivants de la tente rouge...

The "Discovery" in Winterquarters. 1903.
E.A.W.

Londres, 1895. « L'exploration des régions antarctiques est le travail géographique le plus important à entreprendre avant la fin du siècle. » Le VIe Congrès international de géographie vient de décider de relancer la conquête de l'extrême sud, curieusement oublié depuis un demi-siècle.

CHAPITRE IV
AU CŒUR DE L'ANTARCTIQUE

Toute l'histoire du pôle Sud est liée au drame de Scott. 1903 : le *Discovery* (à gauche) affronte la banquise lors de la première expédition. 17 janvier 1912 : Scott et ses compagnons, arrivés enfin au pôle, découvrent qu'Amundsen les y a précédés.

Le baron de Gerlache a vingt-neuf ans. C'est un officier de marine belge. Il veut être le premier à réaliser ce projet

Son bateau, le *Belgica,* appareille d'Anvers en août 1897, avec à son bord Frédéric Cook, le médecin américain qui vient de traverser le nord du Groenland avec Peary, et un tout jeune lieutenant norvégien, Roald Amundsen, futur grand défricheur des pôles.

Durant l'été (janvier et février) 1898, ils explorent partiellement la Terre de Graham et poursuivent par l'est dans la mer de Bellingshausen, se laissant enfermer dans le pack. Ils vont alors passer tout l'hiver à dériver au gré des vents, à 150 nautiques des côtes. A bord, les hommes sont ravagés par le scorbut, dévorés d'anémie ; Cook va les sauver en les obligeant à se nourrir de viande de phoque et de manchot. Ce rude hivernage permet toutefois de collecter une masse d'informations sur les conditions météo, dont les expéditions suivantes vont faire leur profit.

Dans les premières années du siècle, cinq pays européens (la Suède, l'Allemagne, la Grande-Bretagne, la France et la Norvège) étendent à l'Antarctique la tradition des grands voyages scientifiques.

Otto Nordenskjöld, le neveu du découvreur du passage du nord-est, part en mer de Weddell. Pendant qu'il hiverne sur la côte est de la Terre de Graham, son navire, l'*Antarctic,* immobilisé un peu plus au nord, coule, écrasé par les glaces.

Les Allemands, jusque-là peu présents aux pôles, construisent le *Gauss,* un navire inspiré de la

Berlin, août 1899. VIIe Congrès de géographie. Scott a la parole : « Récemment, on a beaucoup utilisé les chiens pour les déplacements dans l'Arctique. Pourtant, on ne peut comparer ce que les hommes ont accompli sans eux avec ce à quoi ils ont pu servir. En fait, il n'y a eu qu'un seul raid important utilisant des chiens dans l'Arctique, c'est celui de Mr Peary à travers le Groenland, mais il serait mort sans les ressources locales et tous ses chiens, sauf un, sont morts de fatigue ou ont été tués pour nourrir les autres. C'est un système très cruel. » Nansen se lève et répond : « J'ai essayé de voyager avec et sans chiens. Au Groenland, je n'avais pas de chiens ; après, dans l'Arctique, j'en ai utilisé, et je trouve qu'ils facilitent notre tâche. C'est vrai qu'il est cruel d'employer des chiens, mais n'est-il pas également cruel d'exiger des hommes un effort exténuant ? »

conception du *Fram,* avec lequel Eric von Drygalsky passe un hiver en Terre du Roi-Guillaume-II et effectue des observations magnétiques.

L'Angleterre ne veut pas être en reste : la Royal Geographical Society met tout son poids dans l'organisation d'une expédition qui doit continuer l'œuvre de Ross

En 1899, son président, sir Clement Markham, obtient d'un industriel, Llewellyn Longstaff, et d'un magnat de la presse, Harmsworth, fondateur du *Daily Mail,* la première mise de fonds nécessaire à une grande expédition. Le gouvernement, stimulé par les projets allemands, achève le financement : Markham fait construire le *Discovery*. Puis il recrute un équipage.

L'Amirauté détachera la plupart des marins et des officiers et d'abord le chef d'expédition imposé par Markham : le capitaine de corvette Robert Falcon Scott, 32 ans, qui va affronter les régions polaires pour la première fois. Il en deviendra le héros et la victime. L'équipe est complétée par des scientifiques, dont le naturaliste Edward Wilson qui jouera un grand rôle auprès de Scott jusqu'à leur mort. Enfin

Au-delà d'une discussion technique entre deux écoles d'explorateurs, cet échange montre bien que les Anglais défendent une mystique de l'effort personnel. Scott, en demandant à ses hommes de tirer eux-mêmes les traîneaux, ne fait que continuer la tradition de la Royal Navy et céder à un sentimentalisme exagéré vis-à-vis des animaux.

deux officiers de la marine marchande, Armitage, ancien de l'équipe arctique de Jackson, et Shackleton, 26 ans, qui deviendra une grande figure polaire.

Fridtjof Nansen, consulté, recommande l'usage des chiens de traîneau mais il ne sera malheureusement écouté ni par Scott ni d'ailleurs plus tard par Shackleton.

Le *Discovery* passe l'hiver 1902 dans la baie de McMurdo, au pied du volcan Erebus, et c'est début novembre que Scott, Wilson et Shackleton partent, plein sud, en tirant leurs traîneaux selon la tradition de la marine anglaise.

Fin décembre, les trois hommes font demi-tour, obsédés par la faim et inquiets, car Shackleton, le premier, est terrassé par le scorbut.

A la fin de janvier 1903, le *Discovery* est toujours pris dans les glaces, mais un navire de relève, le *Morning*, vient s'amarrer à 10 nautiques de là. Scott fait rapatrier quelques hommes dont Shackleton et, suivant les instructions secrètes de Markham, reste pour un second hivernage. L'Amirauté, mise devant le fait accompli, proteste et prend la direction des opérations l'année suivante.

Après une année sans histoires, deux navires envoyés par l'Amirauté viennent secourir les explorateurs, et surtout sommer Scott d'abandonner le *Discovery*. Date limite, le 15 février. Heureusement, le 15 précisément, un coup de vent de sud-est casse et disperse la glace, et le *Discovery* peut rentrer en Nouvelle-Zélande.

Les expéditions de Charcot : du *Français* au *Pourquoi-Pas ?*

Fils d'un célèbre neurologue de la Salpêtrière, Jean-Baptiste Charcot a aussi une formation médicale, doublée d'une vocation d'explorateur. Il quitte Brest le 31 août 1903 à bord du *Français*, un trois-mâts barque construit à Saint-Malo, hiverne à l'île Wandel, et opère le relevé hydrographique de 500 nautiques de côtes.

A son retour en France en 1905, on le fête, on l'acclame. Cette fois, le gouvernement va aider à financer son nouveau navire, le *Pourquoi-Pas ?*

« D'où vient l'étrange attirance de ces régions polaires, si puissante, si tenace qu'après en être revenu on oublie les fatigues morales et physiques pour ne songer qu'à retourner vers elles ? D'où vient le charme inouï de ces contrées pourtant désertes et terrifiantes ? »
Jean-Baptiste Charcot.

Entouré d'une équipe d'officiers de marine et de chercheurs civils, Charcot va rapporter de ses expéditions sur le *Français* et le *Pourquoi-Pas ?* de nombreux résultats scientifiques. Les cartes de la péninsule antarctique portent aujourd'hui encore les patronymes français dont il a baptisé les îles, les caps et les montagnes.

Charcot appareille du Havre le 15 août 1908 et part plein sud. Il reconnaît l'île Adélaïde, échappe au naufrage sur les hauts-fonds des îles Faure et s'approche de la Terre Alexandre, une île de la taille de l'Irlande, qui ne sera explorée qu'en 1938, par Rymill. Après un hivernage plus au nord, sur la petite île Peterman, il repart et longe la banquise jusqu'à la longitude 120° ouest. Charcot ne retournera plus au sud : après la guerre de 1914, il se consacre à des campagnes en mer du Groenland. Durant des années, le *Pourquoi-Pas ?* sillonnera les mers arctiques, pour se perdre corps et biens le 16 septembre 1936, dans une tempête sur les côtes islandaises.

Au cœur de l'Antarctique : l'expédition de Shackleton

Rapatrié par force en Angleterre en 1903, Shackleton brûle de repartir. Persuadé de pouvoir faire mieux que Scott, il va chercher des appuis auprès des milieux financiers de la City, pour monter une expédition au pôle géographique Sud. En février 1907 enfin, un industriel, Beardmore, donne sa garantie. Nous sommes un vendredi. Le lundi suivant, Shackleton est dans le bureau du secrétaire de la Royal Geographical Society ; d'illustres visiteurs y passent le même jour : Amundsen, venu faire une conférence sur sa traversée du passage du nord-ouest, et Nansen, maintenant ambassadeur de Norvège, qui l'accompagne... Le lendemain, dans le *Times,* on peut lire le compte rendu de la conférence d'Amundsen et l'annonce d'une nouvelle mission britannique à la conquête du pôle Sud.

Tout est prêt pour le départ. Le bateau, un petit phoquier, le *Nimrod,* l'équipe d'hivernage : seize personnes, dont trois

En misant sur des poneys de Mandchourie au lieu de chiens, comme l'avait conseillé Nansen, Shackleton (à gauche) commet une erreur qui sera répétée trois ans plus tard par Scott. Il compare les différents modes de traction : un poney tire 800 kg et prend 5 kg de nourriture par jour tandis qu'un chien en tire 50 et a besoin de 750 g par jour. Mais il oublie que les poneys enfoncent dans la neige profonde, et surtout souffrent horriblement dans le blizzard, car ils transpirent par toute leur peau et leur fourrure se couvre de glace. Les chiens, au contraire, ne transpirent que par la langue et ils sont capables de dormir dehors, dans le blizzard, par – 40°.

TERRA NOVA

des rumeurs de guerre et l'Amirauté préfère investir dans la construction de cuirassés. Les institutions scientifiques, toujours prêtes à encourager les recherches, ont peu de crédit auprès des financiers. L'opinion publique, elle, demande des exploits. Scott joue le tout pour le tout : il publie ses plans dans le *Times*. Une souscription nationale est lancée, des subventions officielles complètent le financement. L'expédition peut être montée, à condition de serrer le budget.

Scott part enfin. Mais, pendant ce temps, Amundsen se prépare

Sur un vieux baleinier écossais, le *Terra Nova,* Scott embarque soixante-cinq hommes (dont cinquante détachés par la Navy), dix-sept poneys et trente chiens. Et même trois véhicules à chenilles, essayés avec Charcot au col du Lautaret. Les préparatifs auront duré près d'un an. L'expédition a un double but : réaliser un programme de recherches scientifiques et aussi, bien sûr, conquérir le pôle Sud. Et là, soudainement, Scott va découvrir un formidable rival, Roald Amundsen.

Avec l'accord de Nansen, Amundsen prépare une nouvelle dérive arctique du *Fram* ; partant du détroit de Béring, il espère passer par le pôle Nord. En septembre 1909, après la double annonce de Cook et Peary, Amundsen comprend qu'il doit renoncer ; certains de ses financiers se retirent d'ailleurs de l'opération. Il modifie donc immédiatement ses plans :

Le *Terra Nova* appareille le 1er juin 1910 sous le commandement d'Edward Evans, un enseigne de vaisseau que Scott a nommé second. Scott, lui, rejoint l'expédition à Simonstown, en Afrique du Sud. Pendant ce temps, Meares est parti en Sibérie pour acheter 30 chiens et 17 poneys. Tout se passe bien pour les chiens dont il a une longue pratique et qui, d'ailleurs, ne doivent pas être utilisés en première ligne. En revanche, il n'a aucune expérience des poneys, qu'il choisit mal. Le capitaine de cavalerie Oates, qui en a la charge, s'en apercevra, trop tard, à l'escale de Nouvelle-Zélande. Durant tout l'hivernage, Oates, que ses camarades surnomment « le fermier », essaiera pourtant de les préparer pour le raid au pôle.

il ira bien dans l'Arctique, il entreprendra une dérive à partir du détroit de Béring, mais en passant auparavant par l'Antarctique. Il n'y a rien d'étrange à cela : la route de la côte nord-ouest américaine passe par le cap Horn, puisqu'il n'existe pas encore de canal à Panama.

Secrètement, Amundsen veut la victoire au Sud. Mais il n'en dit rien, car les rapports politiques sont compliqués entre Norvège et Angleterre ; il sait qu'il entre en concurrence avec Scott. Le plus prudent est de se taire.

En juin 1910, le *Fram* appareille officiellement pour le détroit de Béring.

« Me permets de vous informer que le *Fram* fait route vers l'Antarctique »

Le télégramme, envoyé de Madère, est adressé à Scott. Le roi de Norvège et Nansen reçoivent, eux, des lettres qui leur font part de ce changement de programme. Scott enrage.

Le 14 janvier 1911, Amundsen débarque dans la baie des Baleines. Et il se prépare à hiverner avec huit compagnons et cent seize chiens à Framheim, une base construite sur la barrière de Ross.

Une semaine avant, Scott s'est amarré en baie de McMurdo. Ses projets sont ambitieux : faire des études de géophysique et de sciences naturelles avec l'équipe de scientifiques, atteindre le pôle Sud avec une équipe restreinte, et enfin faire hiverner une autre équipe, commandée par Campbell en Terre du Roi-Edouard-VII. C'est sur sa route que le *Terra Nova* trouve le *Fram* et Amundsen. Anglais et Norvégiens échangent leurs projets, comparent leurs navires. Puis les Anglais repartent vers McMurdo, pour prévenir Scott et débarquer l'équipe de Campbell au cap Adare.

La marche vers le pôle

A l'automne (le mois de mars), Amundsen a échelonné une tonne et demie de vivres en trois dépôts aux latitudes 80°, 81°, 82° sud. Au printemps, il choisit ses quatre compagnons : Helmer Hanssen, officier au long cours, spécialiste des chiens, déjà avec lui dans le

A la baie des Baleines, Amundsen et son équipe construisent en dix jours leur base de Framheim. A gauche, on voit une grande tente à moitié enfouie dans la neige. 14 tentes semblables abritent les chiens, les vivres et le charbon. Polheim (à droite), la tente qu'Amundsen laisse sur place, se révélera être située à 2,7 km du pôle géographique sud.

passage du nord-ouest ; Hassel, un douanier conducteur de traîneaux ; Bjaaland, un champion de ski, et Wisting, un harponneur de baleines.

Le 20 octobre 1911, ils quittent Framheim avec douze chiens par traîneau. Le 17 novembre, par 85° sud, ils se retrouvent au pied d'une chaîne de montagnes. Jusque-là, à raison de 13 nautiques par jour, ils ne se sont pas même essoufflés. Il reste 600 nautiques à couvrir, jusqu'au pôle et retour. Et maintenant, il va falloir trouver un passage à travers cette montagne.

Commence alors une ascension terrifiante, celle d'un glacier, l'Axel Heiberg, semé de crevasses. Au sommet, Amundsen fait abattre les chiens superflus, n'en gardant que dix-huit pour trois traîneaux. Le 10 décembre, ils ne sont plus qu'à 60 nautiques du pôle. L'altitude diminue.

Le 14, Amundsen et ses compagnons atteignent ce 90° mythique. Trois jours durant, ils prennent des hauteurs de soleil au sextant – ce que ni Peary ni Cook n'avaient fait au pôle Nord. Puis avant de partir, Amundsen laisse une lettre à Scott…

Le 25 janvier 1912, l'équipe victorieuse est de retour à Framheim : trajet aller-retour accompli en quatre-vingt-dix-sept jours.

Pendant tout l'hiver, les expéditions se préparent.
A Framheim (en bas à gauche), la base d'Amundsen, les Norvégiens peaufinent leur équipement, allègent les traîneaux, entraînent leurs chiens. Amundsen (à gauche), autocrate par tempérament, se plie cependant aux règles les plus démocratiques et fait régner un bon esprit d'équipe.

« Je n'ai jamais connu personne qui se soit trouvé aussi diamétralement à l'opposé de son désir. Depuis l'enfance, je rêve d'atteindre le pôle Nord, et me voilà au pôle Sud. »
Roald Amundsen.

Un hiver à Cap Evans

A Cap Evans, la base de Scott, l'équipe d'hivernage se compose d'un état-major de 15 personnes complété par 9 officiers mariniers et marins. Le chef d'expédition y maintient la belle ordonnance et la hiérarchie de la Royal Navy : officiers et scientifiques dans un « carré », équipage cantonné ailleurs dans la base. Recherches et découvertes s'accumulent : météorologie, glaciologie font, grâce à Simpson et Priestley, des progrès déterminants, tout comme la géologie et la cartographie. Wilson, Cherry-Garrard et Bowers bravent les plus basses températures pour rapporter des embryons de manchots empereurs, ces oiseaux que l'on n'avait pas encore approchés à l'époque et qui, peut-être, auraient pu constituer le chaînon manquant entre reptiles et oiseaux. En donnant ainsi tant de place à son programme scientifique, Scott a sous-estimé les difficultés d'un raid au pôle. Entouré d'hommes courageux, il lui manque l'expérience d'un Amundsen.

La base en fête

Le 22 juin 1911, Scott et son état-major célèbrent la mi-hiver, une fête traditionnelle dans toutes les bases antarctiques. Assis, de gauche à droite, Debenham, Oates, Meares, Bowers, Cherry-Garrard, Scott, Wilson, Simpson, Nelson, Evans, Day, Taylor. Debout, à gauche, Wright, Atkinson ; à droite, Gran. Sur le mur à gauche, une gravure de Napoléon, tout à fait insolite chez des Britanniques, avait été apportée par le capitaine Oates, farouche admirateur de l'Empereur. Au menu, entre autres, un consommé de phoques et un gâteau de Buszard (l'une des grandes pâtisseries de Londres), le tout arrosé de bordeaux et de champagne.

Amère victoire

Cette photo aurait dû être celle de la victoire. Tout au long du raid, la fatalité s'est acharnée sur Scott (debout, au centre) et ses compagnons, Bowers (debout, à droite), Wilson (debout, à gauche), Oates (assis, à droite) et P. O. Evans (assis, à gauche, qui tire le déclencheur de l'appareil photographique). Dans la tente laissée par Armundsen, ils viennent de trouver une lettre.

« Cher commandant Scott, comme vous serez probablement le premier à arriver ici après nous, puis-je vous demander d'envoyer la lettre jointe au roi Haakon VII ? Si les équipements laissés dans la tente peuvent vous être de quelque utilité, n'hésitez pas à les prendre. Avec mes meilleurs vœux, je vous souhaite un bon retour. Sincèrement vôtre. »

Roald Amundsen.

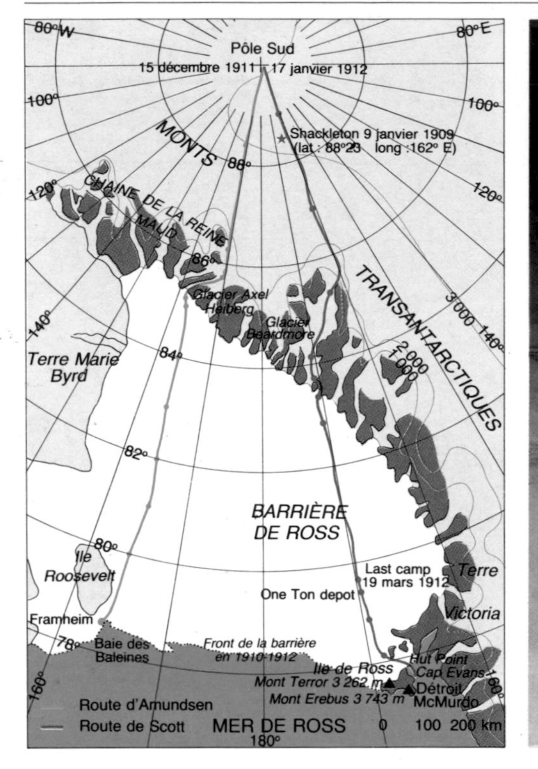

Pendant ce temps, Scott arrive avec ses hommes au pied du glacier Beardmore

Il a conçu son raid selon le système d'une pyramide d'équipes de support qui feront demi-tour au fur et à mesure de la progression. Le 10 décembre 1911, tous se retrouvent devant le glacier ; les poneys peinent tant dans la neige poudreuse que leur sueur se transforme en croûte de glace : Scott donne l'ordre de les abattre.

Les charges sont réparties sur trois traîneaux, et l'ascension commence, quatre hommes par traîneau. Il reste 420 nautiques pour atteindre le pôle. Onze jours pour gravir le glacier : Scott renvoie la dernière équipe de soutien et choisit les quatre hommes qui vont l'accompagner : Wilson, Oates, Bowers et Evans.

Le 9 janvier 1912, ils atteignent 88° 23′ 5″, la

« Les causes du désastre ne sont pas dues à une organisation défectueuse de l'expédition, mais à la malchance dans tous les risques que nous avions à courir. »
Robert Scott.

latitude à laquelle Shackleton a fait demi-tour, trois ans auparavant. Ils continuent. Une semaine plus tard, Bowers aperçoit le premier un drapeau noir amarré à un patin de traîneau.

Journal de Scott, 16 janvier : « Le pire est arrivé. Un simple coup d'œil nous révèle tout. Les Norvégiens nous ont devancés... Demain nous irons jusqu'au pôle, puis nous rentrerons à la base le plus vite possible. »

Le retour commence bien, avec un vent de sud qui permet d'établir une voile sur le traîneau. Mais tous souffrent, Evans s'épuise, Oates sent ses pieds peu à peu se geler. Le 17 février, Evans meurt à la suite d'une chute. Le calvaire continue. 16 mars : Oates sait que la gangrène l'a gagné ; demain, c'est son

Dehors, le blizzard hurle. Oates vient de décider de se sacrifier, d'aller mourir dans le froid pour ne pas entraver la marche de ses compagnons. Ce tableau, intitulé *A very gallant gentleman,* est un hommage à ce brave parmi les braves.

Franck Hurley, le photographe de l'expédition, a éclairé au flash l'*Endurance* pour en donner cette image dramatique. Malgré la pression énorme, le bateau résista encore quelque temps.

partira avec cinq compagnons et cinquante-quatre chiens esquimaux.

Août 1914. La guerre vient d'éclater en Europe. L'*Endurance* est prête à appareiller. Shackleton hésite à partir, mais Winston Churchill, premier Lord de l'Amirauté, lui en donne l'ordre.

Arrivé en Géorgie du Sud début novembre, Shackleton doit attendre un mois avant de repartir : la banquise s'étend très au nord, cette année-là. Le 5 décembre, il appareille enfin, et, cinq semaines durant, essaye un à un tous les chenaux d'eau libre entre la côte et les champs de glace.

10 janvier : l'*Endurance* atteint la Terre de Coats. En fait de terre, il s'agit de falaises de glace de 20 m de haut sur lesquelles il est impossible de débarquer.

16 janvier : « Après le blizzard, nous nous

retrouvons soudain complètement entourés de pack, sans un seul signe d'eau libre sur tout l'horizon »... Les morceaux de pack vont se souder sous l'effet du gel : il faut se rendre à l'évidence, l'*Endurance* est prisonnière de la banquise, au beau milieu de l'été austral.

« Deux énormes floes bloquent chaque bord tandis que le troisième s'attaque à la poupe et arrache le gouvernail comme du bois d'allumette... Le choc était indescriptible, comme si le monde entier allait être secoué par un tremblement de terre. »
Worsley, commandant de l'*Endurance*.

Neuf mois de dérive à la recherche d'un chenal d'eau libre

Du 20 janvier au 27 octobre 1915, l'*Endurance* dérive avec le pack, à raison de 5 nautiques par jour. A bord, la vie des vingt-huit hommes s'organise : on chasse les phoques et les manchots, qu'il faut disputer aux orques, ces effrayantes baleines carnivores ; on parle avec inquiétude de la guerre, dont on ignore tout.

Après un hiver somme toute assez confortable, le vrai problème naît au printemps. Avec l'eau libre, des crêtes de pression se forment, qui menacent le navire. Le 27 octobre, Shackleton ordonne l'évacuation. L'expédition doit se diriger, sur la banquise, vers l'île Paulet, à 312 nautiques vers le nord-nord-ouest. La progression est dérisoire : 10 nautiques en une semaine, et la neige profonde la rend plus difficile encore. Il faut renoncer. Shackleton choisit de dériver sur un grand floe solide. L'épreuve va durer cinq mois, de novembre à avril 1916.

8 avril 1916 : Franck Hurley, le photographe de l'expédition raconte : « Les morceaux de pack, les floes, étaient de plus en plus fragmentés par les mouvements incessants de la houle et du vent. La mise à l'eau des embarcations restait extrêmement dangereuse, mais camper sur la banquise présentait aussi de grands risques. »

Shackleton répartit les hommes entre les trois embarcations. Lui-même, Franck Wild et onze hommes embarquent sur le *James Caird,* la plus grande

« Mon nom est Shackleton.

– Entrez, entrez !

– Dites-moi, quand la guerre s'est-elle terminée ? »

La guerre n'est pas terminée, et il y a beau temps qu'en Europe on a dépassé le premier million de morts....

Hubert Wilkins (ci-dessous) fait financer son voyage en grande partie par le magnat de la presse Randolph Hearst. Il peut ainsi acheter deux modernes Lockheed Vega. Son premier vol a lieu le 16 novembre 1928, ce qui fait de lui le premier homme à survoler l'Antarctique.

Six hommes sauvés : restent vingt-deux à aller chercher

Worsley part immédiatement récupérer les trois autres rescapés restés au sud de l'île, pendant que Shackleton obtient d'armer un baleinier pour repartir à l'île Eléphant. Le mardi matin, il appareille, à bord du *Southern Sky*. Mais le pack bloque l'accès à l'île, il faut faire demi-tour.

Shackleton ne se décourage pas. L'Uruguay lui prête un chalutier : nouvel échec. Il se rend alors à Punta Arenas, en Terre de Feu, met à contribution la colonie britannique, affrète une goélette : à nouveau le pack, nouvel insuccès et retour aux Falkland.

En cette fin juillet 1916, c'est le plein hiver. Un navire de secours anglais, le *Discovery*, doit arriver à la mi-septembre. Pas question de l'attendre. Là-bas, les autres, les compagnons doivent être sauvés tout de suite... Le 25 août, c'est sur un remorqueur chilien que Shackleton récupère enfin tout son équipage.

Beaucoup plus tard, en 1956, le géologue Raymond Priestley, qui avait hiverné avec Scott et Shackleton avant de rencontrer Amundsen, résumait ainsi les mérites respectifs des trois explorateurs, dont la somme ferait le parfait héros polaire : « Comme chef d'une expédition scientifique, donnez-moi Scott ; pour un raid polaire rapide et efficace, Amundsen ; mais quand l'adversité vous entoure et que vous ne voyez pas d'issue, agenouillez-vous, et priez que l'on vous envoie Shackleton. »

Contrairement à ce que l'on pourrait croire, il n'est guère plus facile d'aller en avion au pôle Sud que d'y aller à pied

Pas de bases habitées, pas d'aérodromes, des vents permanents, une altitude pouvant atteindre 4 000 m et surtout des distances énormes entre l'Antarctique et les premiers points possibles de ravitaillement : on comprend que l'exploration aérienne ait suscité peu de vocations, alors même que l'océan Arctique était sillonné de dirigeables et d'avions.

Le premier à s'y risquer, en 1928, est un Australien, sir Hubert Wilkins : 2 100 km aller et retour, à partir de l'île Deception. Il revient en déclarant que la Terre de Graham est séparée du continent antarctique par plusieurs détroits – ce qui se révéla faux...

En cette même année 1928, le commandant Byrd hiverne avec une expédition privée à la baie des Baleines, en mer de Ross. Il baptise sa base Little America. Ce sera le point de départ de cinq expéditions américaines, de 1929 à 1956. Le raid aérien de 1929, qui suit la route autrefois prise par Amundsen, n'apporte pas de découvertes nouvelles ; en revanche, au cours d'autres vols et de voyages en traîneau, le géologue Lawrence Gould découvre et étudie les montagnes Rockefeller, du nom de l'un des mécènes de l'expédition. Byrd revient en 1934, et explore de façon systématique la côte orientale de la barrière de Ross, alors totalement inconnue.

De 1933 à 1936, Lincoln Ellsworth, émule d'Amundsen dans l'Arctique, réalise le premier vol transantarctique : 3 700 km de la Terre de Graham jusqu'à Little America.

Avec son trimoteur Ford, le *Floyd Bennett,* Richard E. Byrd survole le pôle Sud en refaisant le trajet d'Amundsen et en suivant ses conseils. L'expédition, comprenant 3 avions, 95 chiens et plus de 50 hommes, arrive à la barrière de Ross le jour de Noël 1928. La première tâche est d'établir la base de Little America. Le raid au pôle Sud aura lieu le 28 novembre, après plusieurs reconnaissances. En 15 heures et 51 minutes, ils parcourent la distance qu'Amundsen avait mis trois mois à couvrir à pied...

ССР-04221

Après les exploits humains, les travaux scientifiques. Depuis cinquante ans, l'exploration des régions polaires a bénéficié du progrès des techniques et des sciences, mais surtout elle a été influencée par de nouveaux enjeux : dans l'Arctique, le pétrole, les transports maritimes et la défense ; au nord comme au sud, l'apparition de grands programmes de recherche multinationaux.

CHAPITRE V

LES ENJEUX DES PÔLES

La conquête de l'espace a bouleversé les méthodes d'observation des régions polaires. A droite, un cliché pris par le satellite *Nimbus-V* donne l'étendue des glaces de mer entourant l'Antarctique un jour d'hiver.

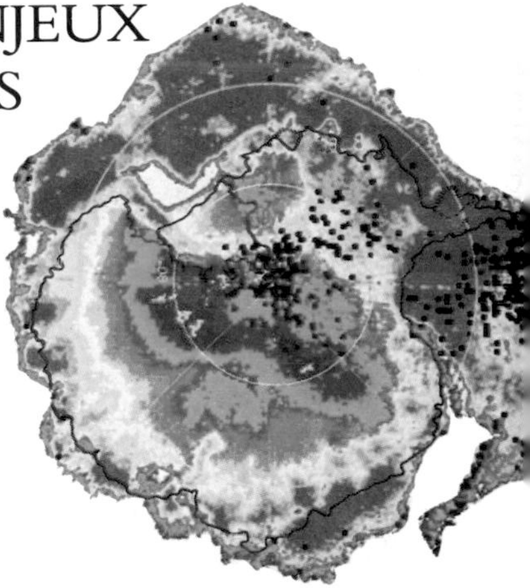

Dans l'Arctique, l'indlandsis du Groenland, le désert de glace qui occupe la plus grande partie des deux millions de kilomètres carrés de l'île, est exploré scientifiquement à partir de 1930

Nansen et Peary y avaient effectué des traversées à ski, l'ethnologue Rasmussen avait exploré en traîneaux à chiens la côte nord-est et, en 1912, un glaciologue suisse, de Quervain, avait réalisé les premières mesures de température et d'accumulation de la neige.

1930 : Coste et Bellonte réussissent une première aérienne, Paris-New York sans escale. Le Groenland, qui correspond à la route la plus courte, va devenir le point de passage obligatoire des liaisons transatlantiques. Or, pour y faire passer des avions en toute sûreté, il faut en connaître le régime atmosphérique.

Les Allemands, intéressés en premier lieu par l'établissement de cette ligne, montent une expédition scientifique dirigée par le physicien Alfred Wegener, l'inventeur de la théorie de la dérive des continents. Objectif : installer à 400 km de la côte et à 3 000 m d'altitude une station de recherches en glaciologie et météorologie, Eismitte, encadrée par des stations météo sur les côtes est et ouest. Wegener débarque en avril 1930 sur la côte ouest, au nord de l'île Disko, avec cent tonnes de matériel. Georgi et Sorge s'installent à Eismitte dans le courant de l'été tandis que les équipes de Wegener ravitaillent la station depuis la côte ouest avec des Esquimaux et leurs traîneaux.

Fin octobre, c'est-à-dire très tard dans la saison, Wegener effectue une dernière liaison, accompagné seulement de Loewe et d'un Esquimau, Rasmus. La température est déjà de – 50°. Loewe, les pieds gelés, découvre que la gangrène le gagne. Le seul espoir : l'amputation. Georgi se décide à opérer son compagnon, avec les moyens du bord. Loewe est sauvé, mais il ne peut bouger. Il va rester hiverner à Eismitte, où les vivres sont tout juste suffisants pour un homme de plus. Wegener et son fidèle guide Rasmus repartent

En 1906, Alfred Wegener, jeune universitaire de 26 ans, s'embarque pour la côte nord-est du Groenland avec l'expédition danoise de Mylius Erichsen. Malgré la mort tragique d'Erichsen et de deux compagnons, l'équipe cartographie de nombreuses terres nouvelles. Wegener, lui, découvre la Terre de la Reine-Louise. En 1912-1913, il repart, pour effectuer une traversée d'est en ouest sur des traîneaux tirés par des poneys. On le voit, ci-dessous, au cours de sa dernière expédition, en 1930, effectuer avec une tarière un prélèvement de neige dans les couches superficielles pour mesurer l'accumulation annuelle.

A l'automne 1948, la première mission des Expéditions polaires françaises réembarque à Port-Victor.

donc avec dix-sept chiens pour rejoindre la côte ouest, un voyage dont ils ne reviendront pas. Au printemps suivant, on découvrira, à 189 km de la côte, un ski planté dans la neige, marquant, comme une croix, l'emplacement du corps de Wegener, enseveli par son compagnon. De Rasmus, nul n'entendra plus jamais parler.

Les Expéditions polaires françaises

Avec Paul-Emile Victor, les Français étendent le programme de Wegener, occupant Eismitte et réalisant

Paul-Émile Victor (à gauche) débarque pour la première fois au Groenland en 1934 avec Charcot et le *Pourquoi-Pas ?* A partir de 1947, il sera le promoteur infatigable d'expéditions au Groenland et en Terre Adélie, pour lesquelles il rassemble des équipes de chercheurs et de techniciens. L'un d'eux, Robert Guillard (ci-dessous), avec 44 campagnes, est aujourd'hui le spécialiste polaire français le plus expérimenté.

le maximum de tirs sismiques. Cette fois, poneys et traîneaux à chiens sont remplacés par des moyens modernes : des chenillettes Weasels puis Hotchkiss pour les transports, des avions volant à basse altitude pour larguer les vivres et le carburant. En 1950 et 1951, deux équipes d'hivernage dirigées par Robert Guillard et Paul-Emile Voguet, se succèdent dans la station centrale. Pendant les campagnes d'été, les géophysiciens effectuent quatre cents tirs sismiques échelonnés tous les 16 km.

En 1952, Victor passe un accord avec les militaires américains pour effectuer à partir de leur base de Thulé une traversée du Groenland dans son extrême nord. Il confie à Guillard le commandement de ce raid de 2 000 km en Weasels, qui reprend les itinéraires antérieurs de Peary et Rasmussen.

La Royal Navy n'a pas oublié les heures de gloire du début du siècle. Les Britanniques sont à nouveau présents aux pôles, dans le nord Groenland cette fois

La reine Elizabeth II et Sir Winston Churchill, Premier ministre, patronnent une expédition dirigée par le capitaine de frégate Simpson. La zone choisie est d'un accès particulièrement difficile, bloquée le plus souvent par la banquise, même en été. Il faudra débarquer le matériel plus au sud, et assurer le transport jusqu'au lac Britannia, où doit être construite la base, avec des hydravions Sunderland.
La station, Northice, située à 400 km de la côte,

sert de base d'hivernage pendant deux ans (1952-1954). Puis, pendant deux campagnes d'été, les équipes britanniques traversent jusqu'à Thulé, en effectuant les études classiques de sismique, de gravimétrie et d'altimétrie.

Pendant quinze ans, de 1959 à 1974, l'Expédition glaciologique internationale au Groenland va approfondir ces études

Pour établir un bilan de masse de l'indlandsis groenlandais et savoir si cette masse de glace est en équilibre, en régression ou en augmentation, il faut disposer de mesures répétées pendant plusieurs années. Le programme dépasse les possibilités de la France, et d'ailleurs aussi des autres nations prises individuellement. Cinq pays s'associent. Les Expéditions polaires françaises ont la responsabilité de l'organisation, les partenaires de la France étant le Danemark, la Suisse, l'Autriche et l'Allemagne.

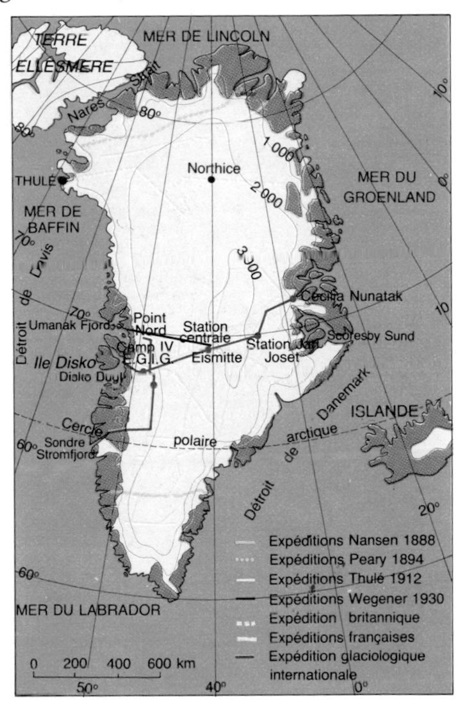

Avec deux navires, deux avions, deux hélicoptères et de nombreux véhicules à chenilles, les scientifiques de ces cinq pays approfondissent les mesures glaciologiques et obtiennent une bien meilleure approximation du bilan de masse, c'est-à-dire de la différence entre pertes et accumulations. Les pertes proviennent de la fonte du névé dans les régions côtières d'altitude inférieure à 1 500 m et du volume d'icebergs que les glaciers déversent dans la mer. Les accumulations proviennent des chutes annuelles de neige dans la région centrale. Dans l'état actuel des techniques, il est encore impossible de savoir si le

volume de glace du Groenland augmente ou diminue. Cette glace, si elle disparaissait, relèverait le niveau des mers d'environ 7 m.

Ivan Papanine (1895-1986) est certainement la plus populaire des personnalités polaires en Union soviétique. Après sa dérive de 9 mois sur la banquise, il devient directeur de la route maritime du Nord, de 1939 à 1945, date à laquelle il est nommé contre-amiral. Il sera ensuite, à partir de 1955, le fervent promoteur des expéditions antarctiques soviétiques.

Les physiciens ne sont pas les seuls scientifiques présents dans le grand Nord. Des ethnologues y travaillent et font connaître la civilisation des Inuits, ces derniers rois de Thulé

C'est Knud Rasmussen, un explorateur danois, qui, le premier, s'intéresse à cette population d'Esquimaux polaires. Avec son ami Peter Freuchen, il fonde en 1910 un comptoir privé dans le village d'Upernavik, leur capitale, et lui donne le nom mythique de Thulé. Rasmussen veut ainsi protéger les Esquimaux, abusivement exploités par les baleiniers ou par certains explorateurs, et normaliser les achats de fourrure. Mais au-delà de cette activité commerciale, il organise des expéditions pour étudier l'histoire et les mœurs des Inuits. Il en maîtrise bientôt toutes les techniques, aussi bien de chasse que de transport avec les traîneaux à chiens ; avec son expédition la plus célèbre, Thulé V (1923-1924), il réalise le passage du nord-ouest pour étudier tous les groupes esquimaux entre Thulé et l'Alaska.

Son œuvre est poursuivie aujourd'hui par le Français Jean Malaurie, dont le livre, *les Derniers Rois de Thulé,* a fait connaître les Inuits dans le monde entier.

L'exploration de l'océan Arctique

La longue dérive de Nansen, en 1895, avait marqué le début des études sur l'océan Arctique. Les Soviétiques les poursuivent, avec de nouvelles techniques. En effet, pourquoi immobiliser un navire et un équipage alors que désormais on peut atterrir sur la banquise avec un avion, installer une équipe de chercheurs sur la glace, et y organiser une station qui va dériver au gré des vents, des courants et des marées ?

C'est ainsi qu'en mai 1937 quatre avions soviétiques décollent de l'île Rodolphe dans l'archipel François-Joseph, se posent à proximité du pôle et débarquent quatre hommes : Papanine, le chef de mission, Shirchov, un océanographe, Fédorov, un géophysicien et Krenkel, le radio. Pendant neuf mois, la station dérive, à raison de quelques nautiques par jour vers le sud. Les quatre hommes seront recueillis fin février 1938 près de la côte est du Groenland. Ils rapportent des sondages des fonds marins et d'importantes études de météorologie et d'océanographie.

Ce principe de station dérivante est repris en 1950 et 1951 par Somov et Treshnikov, avec SP2 et SP3. Par la suite, une station du même type battra un record de longévité en fonctionnant pendant huit ans, de 1973 à 1981, recevant en tout mille cinq cents personnes. Dans le même temps, Soviétiques et Américains mettent en service d'autres stations, automatiques cette fois.

Knud Rasmussen (1879-1933), « l'homme que son rire précédait », est le fils d'un pasteur danois installé sur la côte ouest du Groenland. Après avoir passé son enfance à jouer avec des petits Esquimaux et à conduire des attelages de chiens de traîneau, il devient professeur de langue groenlandaise à l'université de Copenhague. Très vite, il choisit de se consacrer sur le terrain à des études d'ethnologie et d'archéologie des différentes tribus esquimaudes, qu'il finance avec les bénéfices de son comptoir de Thulé.

Enfin en 1986, deux expéditions se succèdent sur le même parcours, cap Columbia-le pôle. L'Américain Will Steger veut refaire sans ravitaillement intermédiaire le parcours de Peary ; avec lui : une équipe de cinq hommes et une femme, et des traîneaux à chiens. Partis le 8 mars, ils atteignent le pôle le 1er mai. 56 jours de marche, alors que Peary prétendait en avoir mis 36 ! De son côté, un jeune médecin français, Jean-Louis Etienne, part seul le 9 mars, un jour après Steger. Il remorque à ski un traîneau de 50 kg et se fait ravitailler par avion toutes les deux semaines. Après un mois de marche, par un incroyable hasard, le Français et les Américains se rencontrent, dans le brouillard et les hummocks ! Ils continuent chacun leur route et, le 11 mai, le Dr Etienne est au pôle.

Jean-Louis Etienne, l'auteur d'une première française au pôle Nord, avait soigneusement préparé son raid en s'entraînant à améliorer son adaptation au froid.

Enjeu stratégique, enjeu économique, l'Arctique est entre les mains des deux grandes puissances, l'Union soviétique et les Etats-Unis

Américains et Soviétiques contrôlent les détroits : détroit de Béring d'un côté, détroit de Fram et mer de Barents de l'autre. Ils exploitent aussi les immenses ressources naturelles de la région : pétrole à Prudhoe Bay, sur la côte nord de l'Alaska, gaz naturel à Urengoye, en Sibérie, sur le cercle polaire.

Des deux routes du nord, c'est le passage du nord-est qui est aujourd'hui le plus largement exploité : les Soviétiques, avec la plus grande flotte de brise-glace du monde, y font passer un trafic annuel de 4 millions de tonnes, donnant ainsi à la Sibérie un rôle économique et stratégique.

Cette activité nouvelle pourrait avoir des conséquences néfastes sur l'environnement et la vie des peuples arctiques, qui supportent mal tous ces changements. C'est dans ce contexte que doit se

Brise-glace de 20 000 t propulsé par deux réacteurs nucléaires d'une puissance de 75 000 ch, l'*Arktika* part de Mourmansk le 9 août 1977. Il passe par le nord de la Nouvelle-Zemble, franchit le cap Tchéliouskine, puis fait route plein nord pour atteindre le pôle le 17 août. Guidé par deux hélicoptères, il traverse des régions de glace datant de plusieurs années, à travers lesquelles sa vitesse ne dépasse pas 2 nœuds (3,7 km/h). Il est de retour à Mourmansk le 23 août, après avoir parcouru 3 850 nautiques en 13 jours, démontrant qu'un navire de surface peut traverser l'océan Arctique en dehors des passages du nord-est et du nord-ouest.

développer l'exploitation scientifique des régions arctiques, et on rêve d'une collaboration efficace entre les équipes soviétiques et occidentales, comme cela se passe dans ce grand laboratoire multinational qu'est devenu, à l'autre bout du monde, le continent antarctique.

Dans l'Antarctique, au lendemain de la Seconde Guerre mondiale, la marine américaine entreprend une grande campagne de photographies aériennes

En 1946, l'amiral Byrd, vétéran des voyages polaires, lance l'opération Highjump : un porte-avion équipé de six avions spécialisés, plusieurs brise-glace, de nombreux navires auxiliaires et quatre mille hommes. Des milliers de photographies seront prises, mais ne pourront être exploitées pour la cartographie que lorsqu'on disposera de points de contrôle au sol. Les premières cartes, réalisées par l'opération Windmill en 1947-1948, concernent un petit secteur de la côte, à l'ouest de la Terre Adélie, où les Soviétiques installeront, dix ans plus tard, leur base de Mirny.

Dans toutes les bases polaires, le plus grand danger est l'incendie. A Port-Martin, en 1952, le blizzard a rendu inutiles les efforts faits pour maîtriser les flammes, et les membres de l'expédition, heureusement tous sains et saufs, ne peuvent que contempler le sinistre. Byrd, dans les années 30 et, plus récemment, les Soviétiques, en firent également l'expérience.

La Terre Adélie, découverte par Dumont d'Urville en 1840, devient la première base française

Forts de leur priorité, les Français l'avaient en effet revendiquée en 1924. Restait à y monter une expédition. En 1947, l'explorateur Paul-Emile Victor, qui prépare, lui, un départ au Groenland financé par des crédits gouvernementaux, se voit proposer par trois jeunes explorateurs, Yves Vallette, Robert Pommier et Jacques-André Martin, un projet tout à fait différent : une expédition en Terre Adélie. Enthousiaste, il réussit à obtenir un budget complémentaire, et inclut le projet dans son organisation : les Expéditions polaires françaises sont nées.

Il faut un bateau. Victor va le trouver en Californie. Rebaptisé *Commandant-Charcot,* il carène à Saint-Malo où la Marine française le prend en charge et lui donne pour commandant le capitaine de frégate Max Douguet. Le *Charcot* quitte Hobart à la fin décembre 1949, cap au sud. Après une semaine, une

vive lueur blanche éclaire l'horizon : c'est la banquise, à travers laquelle il faut chercher un passage. Après deux semaines dans les glaces, le navire français mouille à proximité du cap Découverte, où il débarque une première expédition. Onze hommes, dirigés par André Liotard, vont hiverner là, dans une base appelée Port-Martin, en souvenir de J. A. Martin mort pendant la traversée. Ils vont commencer à dresser la carte de la Terre Adélie et, pendant le printemps austral, découvrir à Pointe-Géologie une importante rookerie de manchots empereurs.

En 1950, le *Charcot* débarque à Port-Martin une seconde expédition : dix-sept hommes, commandés par le lieutenant de vaisseau Michel Barré, pour étendre le programme de recherches en géophysique et en sciences naturelles. Le doyen de l'expédition est le docteur Loewe, ancien compagnon de Wegener, le second, Bertrand Imbert, qui commandera pendant l'Année géophysique. Au cours de plusieurs raids, P.-N. Mayaud déterminera l'emplacement du pôle magnétique Sud. Ce sera le dernier hivernage dans la base : le 23 janvier 1952, un incendie la détruit en quelques heures. Désormais les stations françaises vont être installées plus à l'ouest, à Pointe-Géologie. C'est là que, au cours de la troisième expédition, dirigée par Mario Marret en 1952, le Dr Jean Rivolier et l'ornithologiste Jean Prévost réalisent d'importants travaux sur les manchots empereurs.

On estime à environ 400 000 animaux la population des manchots empereurs, mais il est possible que d'autres colonies – ou rookeries – soient encore découvertes, comme ce fut le cas en 1986 sur la côte orientale de la mer de Weddell.

Maudheim et Mawson : Norvégiens, Suédois, Britanniques et Australiens installent leurs bases

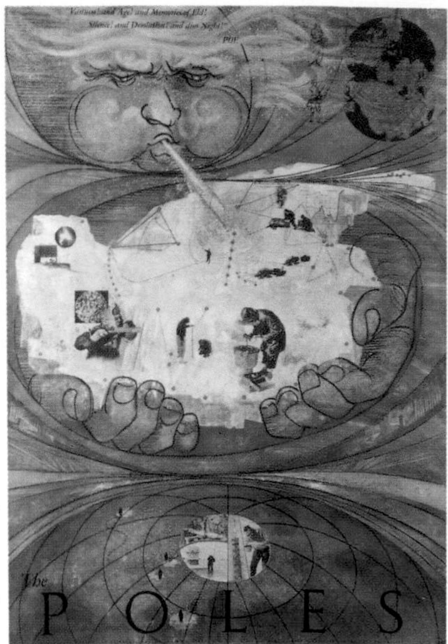

Une expédition internationale, composée de chercheurs norvégiens, suédois et britanniques, hiverne deux ans de suite à Maudheim, sur le versant atlantique du continent antarctique, à 4 500 km de la Terre Adélie. Sous la direction de John Gjaever, elle réalise des travaux de météorologie, géologie et glaciologie, ainsi que des tirs sismiques qui serviront souvent de référence pour la suite...

Deux ans plus tard, en 1954, les Australiens décident de renouer avec la tradition polaire de sir Douglas Mawson ; ils constituent un groupe polaire, l'Anare (Australian National Antarctic Research Expeditions), dirigé par Philipp Law et donnent le nom de Mawson à une base établie en Terre Mac-Robertson (62° 52' est), à proximité d'un immense glacier de 700 km de long sur 50 km de large, le glacier de Lambert.

En 1957-1958, douze nations conjuguent leur programme de recherches polaires : c'est l'Année géophysique internationale

D'un observatoire isolé, ne peuvent naître que des résultats partiels. Or il s'agit désormais d'arriver à des vues planétaires dans le domaine du magnétisme et à des synthèses en ce qui concerne la glaciologie et la météorologie.

Sous l'impulsion de deux physiciens de la haute atmosphère, Sydney Chapman et Marcel Nicollet, le Conseil international des Unions scientifiques et les Académies des sciences des principaux pays décident de conjuguer leurs efforts pendant dix-huit mois, de juillet 1957 à décembre 1958.

Cette Année géophysique sera à l'origine du lancement des premiers satellites artificiels (le Spoutnik en octobre 1957 et Explorer 1 en janvier 1958) et de nombreux autres travaux, mais l'effort principal sera concentré sur l'Antarctique où douze pays installeront quarante-huit stations. Quatre pays, dont la France, installeront même des stations à l'intérieur du continent, dans des conditions extrêmes de froid et d'insécurité.

De 1956 à 1959, soixante chercheurs et techniciens font fonctionner deux observatoires modernes en Terre Adélie : Dumont d'Urville sur l'archipel de Pointe-Géologie et Charcot sur l'indlandsis

En France, l'Académie des sciences forme un Comité national de l'Année géophysique dirigé par Pierre Lejay, Jean Coulomb et André Danjon. Le commandement des missions antarctiques est confié à Bertrand Imbert, qui utilisera de nombreuses compétences aux Expéditions polaires françaises. Il faut aussi disposer d'un navire pour amener personnel et matériel à l'autre bout du monde et mener des travaux d'océanographie. Ce sera le *Norsel* qui, avec son commandant Guttorm Jacobsen, a déjà fait ses preuves lors de l'expédition de Maudheim.

Trois expéditions sont prévues. Le premier hivernage est commandé par Robert Guillard, un ancien du Groenland, qui a pour mission de construire les deux bases. Pendant les trois mois du printemps austral 1956, il installera la station Charcot, à 317 km au sud et 2 400 m d'altitude, transportant matériel, équipement et vivres à travers les crevasses et les sastruggis : 2 500 km avec des convois de véhicules chenillés.

La deuxième expédition, commandée par Bertrand Imbert, débarque en décembre 1957 et ouvre la station Charcot. Jacques Dubois, Claude

La préparation de l'Année géophysique permettra d'établir une solidarité internationale entre toutes les bases antarctiques qui, quotidiennement, échangent par liaison radio de nombreux renseignements. Ci-dessous, G. Rouillon, commandant de la 3e expédition en terre Adélie, B. Imbert, chef des expéditions de l'Année géophysique et M. Renard, mécanicien, se concertent après avoir retrouvé le pilote d'un hélicoptère qui s'était écrasé sur l'indlandsis pendant un blizzard. A cette occasion, les Soviétiques avaient répondu au SOS lancé par les Français : le navire polaire *Ob* avait débarqué sur la glace de mer un avion qui se préparait à décoller pour rejoindre Dumont d'Urville. L'épave fut en fait repérée à ce moment-là, le pilote blessé s'étant réfugié dans la tente de secours.

Lorius et Roland Schlich vont y passer neuf mois, complètement isolés, de février à novembre. Même organisation pour la troisième expédition, confiée à Gaston Rouillon qui a été chef d'expédition au Groenland, tandis que René Garcia, Guy Ricou et Henri Larzillière constituent l'équipe Charcot. La fin de l'hivernage est assombrie par la disparition du chef météo André Prudhomme qui se noie dans le blizzard.

C'est un satellite américain qui, en mars 1958, réalise la plus grande découverte de l'Année géophysique

Grâce aux informations rapportées par *Explorer-3,* J. Van Allen découvre que la terre est entourée par des ceintures de particules à haute énergie, piégées dans le champ magnétique terrestre à une altitude d'environ dix rayons terrestres (60 000 km). Au sol, dans des stations comme Dumont d'Urville, située à l'intérieur de la zone de maximum d'activité aurorale, on a pu enregistrer les orages magnétiques et analyser simultanément leurs manifestations visuelles ou radioélectriques. Dans l'espace, grâce aux satellites, des mesures ont permis de « cartographier » la magnétosphère, sorte d'immense comète de notre champ magnétique qui se déforme sous l'action des éruptions solaires.

En 1956, le cœur de l'Antarctique, à l'exception du pôle, est encore inexploré. Ce désert de glace va désormais être étudié scientifiquement

L'équipe française a réalisé en Terre Adélie soixante-quinze tirs sur un parcours nord-sud de 500 km à l'extrémité duquel l'épaisseur de la glace atteignait 3 000 m. A la même époque, les Anglais menés par Vivian Fuchs et Edmund Hillary, le vainqueur de l'Everest, traversent tout le continent, de la mer de Weddell à McMurdo, et effectuent une série de tirs, notamment au pôle où l'épaissseur de la glace est de 2 800 m. Américains, Soviétiques et Japonais effectuent des travaux similaires.

Dans les années soixante, l'Américain A.H. Waite a l'idée d'employer le principe des radars altimétriques d'avion pour mesurer l'épaisseur de la glace. Des expéditions aériennes vont couvrir tous les points du

continent : l'est pour les Britanniques dirigés par Gordon Robin, l'ouest et la barrière de Ross pour les Américains, enfin la barrière de Filchner-Ronne au fond de la mer de Weddell pour les Allemands de l'Ouest. De ces mesures, le Scott Polar Institute de Cambridge tirera en 1983 le premier atlas glaciologique.

La glace de l'Antarctique représente 90 % de l'eau douce présente sur terre

Avec sa superficie de 14 millions de kilomètres carrés et son épaisseur moyenne de 2 160 m, si elle fondait, le niveau des mers se relèverait de 70 m ! A l'inverse des régions tempérées où les chutes de pluie disparaissent dans le sol pour rejoindre les fleuves,

Le merveilleux spectacle des aurores a longtemps été entouré de mystère. Pourtant, dès le XVIIIe siècle, Halley suggère qu'il existe un lien entre les aurores et les orages magnétiques. On sait maintenant que les aurores proviennent de décharges électriques dans des gaz ionisés à des altitudes comprises entre 100 et 1 000 km.

dans les régions polaires les chutes de neige s'accumulent sur l'indlandsis depuis des millénaires. Cette énorme masse de glace s'écoule très lentement vers la côte (10 m par an à l'intérieur). Les calottes polaires constituent donc des archives essentielles pour connaître le climat de notre planète car des analyses, en laboratoire, de glace prélevée en profondeur permettent de reconstituer température et teneur en gaz de l'atmosphère au moment des précipitations. Très peu de forages profonds ont pu être réalisés à ce jour mais le plus important, 2 083 m à Vostok, est étudié depuis plusieurs années par une équipe

franco-soviétique dirigée par Lorius et Kotlyakov. Ce forage représente 150 000 ans d'archives climatiques !

Désert inhabité pendant des millénaires, l'Antarctique a aujourd'hui une population permanente de mille personnes

Seize pays y entretiennent trente-huit stations et, pendant les campagnes d'été, cette population augmente encore. Pour harmoniser les programmes, un comité international a été créé : le Scientific Comittee for Antarctic Research, ou Scar, fonctionne depuis 1959, avec pour président actuel le glaciologue français Claude Lorius. Le délégué français a longtemps été Georges Laclavère, récemment remplacé par André Lebeau.

Dans l'Antarctique, comme dans l'Arctique, les expéditions privées n'ont pas disparu

Sur les traces de Scott et d'Amundsen, deux équipes viennent de tenter le grand raid. Véritable pèlerinage, le raid de trois Britanniques démarre le 3 novembre

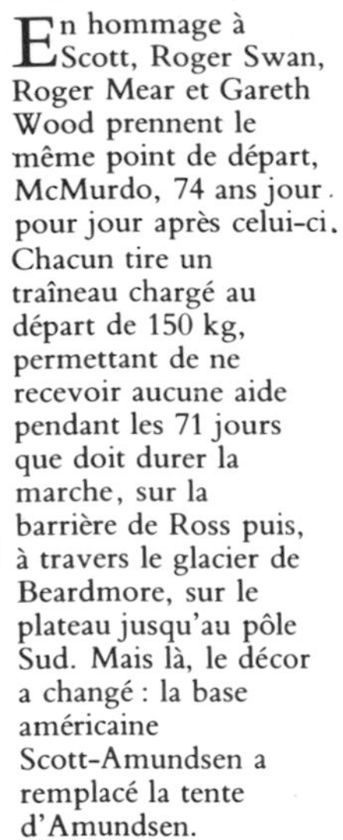

En hommage à Scott, Roger Swan, Roger Mear et Gareth Wood prennent le même point de départ, McMurdo, 74 ans jour pour jour après celui-ci. Chacun tire un traîneau chargé au départ de 150 kg, permettant de ne recevoir aucune aide pendant les 71 jours que doit durer la marche, sur la barrière de Ross puis, à travers le glacier de Beardmore, sur le plateau jusqu'au pôle Sud. Mais là, le décor a changé : la base américaine Scott-Amundsen a remplacé la tente d'Amundsen.

Témoignage de l'époque des grands pionniers, la base de Scott à Cap Evans fait partie du patrimoine historique que chaque nation membre du Scar s'engage à respecter.

1985. Le 11 janvier 1986 ils sont accueillis par les Américains de la base Amundsen-Scott.

A la fin de 1986, deux glaciologues, la Norvégienne Monica Kristensen et le Britannique Neil Macintyre, partent sur les traces d'Amundsen pour effectuer des mesures de glaciologie qui doivent servir à la définition des équipements du satellite *ERS-1*.

L'avenir de l'Antarctique ? Depuis bientôt trente ans, un traité neutralise les revendications territoriales et y interdit les activités militaires

Quelques milliers d'hommes y ont vécu une aventure parfois dangereuse, toujours inoubliable, qui a transformé l'état de nos connaissances sur une partie importante de notre planète. Le continent antarctique semble désormais un endroit privilégié pour prévoir d'éventuelles modifications de notre environnement, même dans les régions tempérées de l'hémisphère nord. Et il est temps que l'homme s'occupe de son propre environnement.

TÉMOIGNAGES ET DOCUMENTS

A l'assaut des pôles : science-fiction
et aventures vécues,
hommes et techniques
d'hier et d'aujourd'hui.

Le passage du cercle polaire

*18 janvier 1840 : l'*Astrolabe *et la* Zélée *atteignent le 64e parallèle. Des icebergs les entourent, mais le vent est tombé et la mer est calme comme un lac. Les deux corvettes viennent de passer le cercle polaire ; le soleil, haut encore dans le ciel malgré l'heure tardive laisse deviner, au loin, une terre. A bord, une étrange fête se prépare.*

L'*Astrolabe* faisant de l'eau sur un glaçon, le 6 février 1838.

Le 18, nos matelots imaginèrent, pour célébrer le passage du cercle antarctique, une fête semblable à celle que les marins sont dans l'habitude de faire lorsqu'ils traversent l'équateur. Dans la soirée, le père Antarctique, frère supposé du père la Ligne, a envoyé une missive au commandant d'Urville, pour lui annoncer son arrivée pour le lendemain, à l'occasion du passage du cercle polaire ; la suite du baptême de la Ligue sera la communion avec le pain et le vin.

Voici le contenu de cette dépêche :

Antarctique XIXe du nom, au capitaine de vaisseau Dumont d'Urville commandant l'*Astrolabe,* salut et amitié.

Voici la seconde fois que votre navire se trouve aux portes de mon empire hyperboréen ; j'ai cru donc qu'il était de mon devoir, en voyant tant d'audace et de persévérance, d'entrer en pourparlers avec vous ; quelque nom que vous donniez à ma capitulation, elle n'en sera pas moins honorable pour moi.

Quand, il y a deux ans, vous voulûtes pénétrer des secrets que nul autre mortel n'avait connus, je reçus un message de mon frère Ligna, me conjurant de mettre obstacle à votre dessein, jaloux qu'il était de vous faire connaître les détails de son empire ; c'est alors que je vous arrêtai, vous savez comment... Toutefois, pour garder un souvenir de vous, j'ai conservé sous verre le coupe-glace qui formait l'avant de votre navire ; il se trouve dans mon cabinet d'antiquités à Pinguinopolis.

Avant la révolution de Juillet, nul, si ce n'est Cook que m'avait recommandé mon frère Ligna, n'avait pu pénétrer dans mon empire ; mais à présent que mes sujets révoltés, prenant exemple sur ceux de votre roi, ont tué

Fête à bord : le commandant Dumont d'Urville reçoit un émissaire du Père Antarctique.

mes gendarmes et mes gardes municipaux, je ne puis opposer à la curiosité des navigateurs que quelques glaçons ; encore ne faudrait-il pas qu'ils eussent toujours affaire à des navires comme l'*Astrolabe.*

Cette année l'hiver n'a pas été rigoureux, en sorte que mes glacières ne sont pas bien approvisionnées ; nul obstacle convenable ne s'opposera donc à votre entrée dans mes Etats. Ne vous effrayez pas de quelques glaçons épars sur mes frontières, ce sont de petits encouragements que je vous envoie, des preuves de ma puissance que j'étale aux yeux des mortels. Tel un gendarme, arrêtant un membre de la Société des Droits de l'Homme, ne le frappe que du plat quand il pourrait le couper avec le tranchant de son sabre.

Vous entrerez dans nos Etats, mais vous vous conformerez aux formalités exigées par notre loi ; vous avez été baptisés par mon frère, vous communierez avec moi ; l'eau vous a purifiés dans votre baptême tropical ; pour entrer chez moi : vous communierez sous les espèces du pain et du vin : seulement, commandant, je vous préviens que mes caves sont un peu dégarnies.

La bière dont j'avais fait provision pour vous est presque épuisée, aussi faut-il que je la ménage.

Toutefois, j'espère vous recevoir, moi et ma cour, demain lundi aux frontières de mon empire.

Fait en notre palais impérial, à Pinguinopolis, lat. 90° 00'-00", long. 00° 00'-00" dans toutes les directions, ce jourd'hui dimanche 19 du mois solsticial, année 1839 de l'hégire polaire.

Antarctique.
Pour copie conforme,
Pétropophile, 1er ministre.
Dumont d'Urville, *Journal*

Sur les traces de Franklin

Pendant dix ans, le pôle Nord va garder son secret : la fin de la plus poignante des expéditions polaires, menée par un navigateur indomptable, ne sera connue qu'en février 1859. Jules Verne en a fait le sujet de son roman, « les Aventures du capitaine Hatteras ».

La catastrophe de sir John Franklin

Le *Forward* parvint à couper directement le détroit de James-Ross, mais ce ne fut pas sans peine ; il fallut employer la scie et les pétards ; l'équipage éprouva une fatigue extrême. La température était heureusement fort supportable, et supérieure de trente degrés à celle que trouva James Ross à pareille époque. Le thermomètre marquait trente-quatre degrés (+ 2° centigrades).

Le samedi, on doubla le cap Félix, à l'extrémité nord de la terre du Roi-Guillaume, l'une des îles moyennes de ces mers boréales.

L'équipage éprouvait alors une impression forte et douloureuse ; il jetait des regards curieux, mais tristes sur cette île dont il longeait la côte.

En effet, il se trouvait en présence de cette terre du Roi-Guillaume, théâtre du plus terrible drame des temps modernes ! A quelques milles dans l'Ouest s'étaient à jamais perdus l'*Erebus* et le *Terror*.

Les matelots du *Forward* connaissaient bien les tentatives faites pour retrouver l'amiral Franklin et le résultat obtenu, mais ils ignoraient les affligeants détails de cette catastrophe. Or, tandis que le docteur suivait sur sa carte la marche du navire, plusieurs d'entre eux, Bell, Bolton, Simpson, s'approchèrent de lui et se mêlèrent à sa conversation. Bientôt leurs camarades les suivirent, mus par une curiosité particulière ; pendant ce temps, le brick filait avec une vitesse extrême, et la côte, avec ses baies, ses caps, ses pointes, passait devant le regard comme un panorama gigantesque.

Hatteras arpentait la dunette d'un pas rapide. Le docteur, établi sur le pont, se vit entouré de la plupart des

Février 1859 : dans un cairn (monticule de pierres recouvert de neige) de l'île du Roi-Guillaume, le capitaine Mac Clintock et ses hommes viennent de découvrir des messages des survivants, rédigés douze ans plus tôt.

hommes de l'équipage ; il comprit l'intérêt de cette situation, et la puissance d'un récit fait dans de pareilles circonstances ; il reprit donc en ces termes la conversation commencée par Johnson :

« Vous savez, mes amis, quels furent les débuts de Franklin ; il fut mousse comme Cook et Nelson ; après avoir employé sa jeunesse à de grandes expéditions maritimes, il résolut, en 1845, de s'élancer à la recherche du passage du nord-ouest ; il commandait l'*Erebus* et le *Terror*, deux navires éprouvés, qui venaient de faire avec James Ross, en 1840, une campagne au pôle antarctique. L'*Erebus*, monté par Franklin, portait soixante-dix hommes d'équipage, tant officiers que matelots, avec Fitz James pour capitaine, Gore, Le Vesconte, pour lieutenants. Des Vœux, Sargent, Couch, pour maîtres d'équipage, et Stanley pour chirurgien. Le *Terror* comptait soixante-huit hommes, capitaine Crozier, lieutenants Little Hogdson et Irving, maîtres d'équipage, Horesby et Thomas, chirurgien, Peddie. Vous pouvez lire aux baies, aux caps, aux détroits, aux pointes, aux canaux, aux îles de ces parages, le nom de la plupart de ces infortunés, dont pas un n'a revu son pays ! En tout, cent trente-huit hommes ! Nous savons que les dernières lettres de Franklin furent adressées de l'île Disko et datées du 12 juillet 1845. “J'espère, disait-il, appareiller cette nuit pour le détroit de Lancastre.” Que s'est-il passé depuis son départ de la baie de Disko ? Les capitaines des baleiniers, le *Prince-de-Galles* et l'*Entreprise* aperçurent une dernière fois les deux navires dans la baie de Melville, et, depuis ce jour, on n'entendit plus parler d'eux. Cependant, nous pouvons suivre Franklin dans sa marche vers l'ouest ; il s'engage par les détroits de Lancastre et de Barrow et arrive à l'île Beechey, où il passe l'hiver de 1845 à 1846.

— Mais comment a-t-on connu ces détails ? demanda Bell, le charpentier.

— Par trois tombes qu'en 1850 l'expédition Austin découvrit dans l'île. Dans ces tombes étaient inhumés trois des matelots de Franklin ; puis ensuite, à l'aide du document trouvé par le lieutenant Hobson, du *Fox*, et qui porte la date du 25 avril 1848. Nous savons donc que, après leur hivernage, l'*Erebus* et le *Terror* remontèrent le détroit de Wellington jusqu'au soixante-dix-septième parallèle ; mais au lieu de continuer leur route au nord, route qui n'était sans doute pas praticable, ils revinrent vers le sud...

— Et ce fut leur perte ! dit une voix grave. Le salut était au nord. »

Chacun se retourna. Hatteras, accoudé sur la balustrade de la dunette, venait de lancer à son équipage cette terrible observation.

« Sans doute, reprit le docteur, l'intention de Franklin était de rejoindre la côte américaine ; mais les tempêtes l'assaillirent sur cette route funeste, et, le 12 septembre 1846, les deux navires furent saisis par les glaces, à quelques milles d'ici, au nord-ouest du cap Félix ; ils furent entraînés encore

jusqu'au nord-nord-ouest de la pointe Victory, là même, fit le docteur en désignant un point de la mer. Or, ajouta-t-il, les navires ne furent abandonnés que le 22 avril 1848. Que s'est-il donc passé pendant ces dix-neuf mois ? Qu'ont-ils fait, ces malheureux ? Sans doute, ils ont exploré les terres environnantes, tenté tout pour leur salut, car l'amiral était un homme énergique ! et, s'il n'a pas réussi...

– C'est que ses équipages l'ont trahi peut-être », dit Hatteras d'une voix sourde.

Les matelots n'osèrent pas lever les yeux ; ces paroles pesaient sur eux.

« Bref, le fatal document nous l'apprend encore, sir John Franklin succombe à ses fatigues le 11 juin 1847. Honneur à sa mémoire ! » dit le docteur en se découvrant.

Les auditeurs l'imitèrent en silence. « Que devinrent ces malheureux privés de leur chef, pendant dix mois ? Ils restèrent à bord de leurs navires et ne se décidèrent à les abandonner qu'en avril 1848 ; cent cinq hommes restaient encore sur cent trente-huit. Trente-trois étaient morts ! Alors les capitaines Crozier et Fitz James élèvent un cairn à la pointe Victory, et ils y déposent leur dernier document. Voyez, mes amis, nous passons devant cette pointe ! Vous pouvez encore apercevoir les restes de ce cairn, placé pour ainsi dire au point extrême que John Ross atteignit en 1831. Voici le cap Jane-Franklin ! voici la pointe Franklin ! voici la pointe Le Vesconte ! voici la baie de l'*Erebus*, où l'on trouva la chaloupe faite avec les débris de l'un des navires, et posée sur un traîneau ! Là furent découverts des cuillers d'argent, des munitions en abondance, du chocolat, du thé, des livres de religion ! Car les cent cinq survivants, sous la conduite du capitaine

H. M. S.hips Erebus and Terror

Wintered in the Ice in

28 of May 1847 Lat. 70°.5' N Long. 98°.23' W

Having wintered in 1846–7 at Beechey Island in Lat 74°.43'.28" N. Long 91°.39'.15" W After having ascended Wellington Channel to Lat 77° – and returned by the West side of Cornwallis Island.

~~Commander.~~

Sir John Franklin commanding the Expedition.

All well

WHOEVER finds this paper is requested to forward it to the Secretary of the Admiralty, London, *with a note of the time and place at which it was found:* or, if more convenient, to deliver it for that purpose to the British Consul at the nearest Port.

QUINCONQUE trouvera ce papier est prié d'y marquer le tems et lieu ou il l'aura trouvé, et de le faire parvenir au plutot au Secretaire de l'Amirauté Britannique à Londres.

CUALQUIERA que hallare este Papel, se le suplica de enviarlo al Secretario del Almirantazgo, en Londrés, con una nota del tiempo y del lugar en donde se halló.

EEN ieder die dit Papier mogt vinden, wordt hiermede verzogt, om het zelve, ten spoedigste, te willen zenden aan den Heer Minister van de Marine der Nederlanden in 's Gravenhage, of wel aan den Secretaris der Britsche Admiraliteit, te London, en daar by te voegen eene Nota, inhoudende de tyd en de plaats alwaar dit Papier is gevonden geworden.

FINDEREN af dette Papiir ombedes, naar Leilighed gives, at sende samme til Admiralitets Secretairen i London, eller nœrmeste Embedsmand i Danmark, Norge, eller Sverrig. Tiden og Stœdit hvor dette er fundet önskes venskabeligt paategnet.

WER diesen Zettel findet, wird hier-durch ersucht denselben an den Secretair des Admiralitets in London einzusenden, mit gefälliger angabe an welchen ort und zu welcher zeit er gefundet worden ist.

Party consisting of 2 Officers and 6 Men left the Ships on Monday 24th May 1847

G.M. Gore Lieut.

Chas F. Des Voeux Mate

London John Murray, Albemarle Street. 1839.

Crozier, se mirent en route pour Great Fish River ! Jusqu'où ont-ils pu parvenir ? Ont-ils réussi à gagner la baie d'Hudson ? Quelques-uns survivent-ils ? Que sont-ils devenus depuis ce dernier départ ?

— Ce qu'ils sont devenus, je vais vous l'apprendre ! dit John Hatteras d'une voix forte. Oui, ils ont tâché d'arriver à la baie d'Hudson, et se sont fractionnés en plusieurs troupes ! Oui, ils ont pris la route du sud ! Oui, en 1854, une lettre du docteur Rae apprit qu'en 1850 les Esquimaux avaient rencontré sur cette terre du Roi-Guillaume un détachement de quarante hommes, chassant le veau marin, voyageant sur la glace, traînant un bateau, maigris, hâves, exténués de fatigues et de douleurs. Et plus tard, ils découvraient trente cadavres sur le continent, et cinq sur une île voisine, les uns à demi enterrés, les autres abandonnés sans sépulture, ceux-ci sous un bateau renversé, ceux-là sous les débris d'une tente, ici un officier, son télescope à l'épaule et son fusil chargé près de lui, plus loin des chaudières avec les restes d'un repas horrible ! A ces nouvelles l'Amirauté pria la Compagnie de la baie d'Hudson d'envoyer ses agents les plus habiles sur le théâtre de l'événement. Ils descendirent la rivière de Back jusqu'à son embouchure. Ils visitèrent les îles de Montréal, Maconochie, pointe Ogle. Mais rien ! Tous ces infortunés étaient morts de misère, morts de souffrance, morts de faim, en essayant de prolonger leur existence par les ressources épouvantables du cannibalisme ! Voilà ce qu'ils sont devenus le long de cette route du sud jonchée de leurs cadavres mutilés ! Eh bien ! Voulez-vous encore marcher sur leurs traces ? »

La voix vibrante, les gestes

Le corps d'un marin de l'expédition Franklin vient d'être exhumé, en 1984, après 138 ans d'ensevelissement dans les glaces de l'Arctique.

passionnés, la physionomie ardente d'Hatteras, produisirent un effet indescriptible. L'équipage, surexcité par l'émotion en présence de ces terres funestes, s'écria tout d'une voix :

« Au nord ! au nord !

— Eh bien ! au nord ! le salut et la gloire sont là ! au nord ! le ciel se déclare pour nous ! le vent change ! la passe est libre ! pare à virer ! »

Les matelots se précipitèrent à leur poste de manœuvre ; les ice streams se dégageaient peu à peu ; le *Forward* évolua rapidement et se dirigea en forçant de vapeur vers le canal de MacClintock.

Jules Verne,
les Aventures du capitaine Hatteras

La dernière lettre de Scott

Dans l'Antarctique, une grande croix de bois domine la base d'hivernage de Cap Evans. De l'autre côté du globe, au British Museum de Londres, une lettre est exposée dans une vitrine. Elle est adressée au peuple anglais. Cette lettre, Robert Scott l'a écrite, les doigts bleus de froid, le visage déjà mort.

Les causes du désastre ne sont pas dues à une organisation défectueuse de l'expédition, mais à la malchance dans tous les risques que nous avions à courir.

1° La perte des poneys survenue en mars 1911 m'obligea à partir plus tard que je ne l'avais décidé primitivement et me contraignit à emporter une quantité de vivres moindre que celle prévue tout d'abord.

2° Le mauvais temps à l'aller, notamment la longue tourmente que nous subîmes sous le 83e degré de latitude, retarda notre marche.

3° La neige molle, dans les régions inférieures du glacier, ralentit encore nos progrès.

Avec énergie nous avons lutté contre ces circonstances imprévues et nous en avons triomphé mais au prix de prélèvements sur nos vivres de réserve. Approvisionnements, vestiaire et organisation de la file de dépôts établis sur le plateau, comme sur toute la route du Pôle, longue de 1 300 kilomètres, tout nous a donné pleine satisfaction en tous points.

Notre groupe aurait regagné le glacier Beardmore en bon état et avec un supplément de vivres, sans la défaillance surprenante d'Evans, celui d'entre nous que nous croyions le plus résistant.

Par beau temps, le glacier Beardmore n'est pas difficile, mais à notre retour nous n'eûmes pas une seule journée vraiment bonne, et la maladie de notre compagnon aggrava singulièrement la situation.

Comme je l'ai dit plus haut, nous nous engageâmes dans une région du glacier extrêmement accidentée, et, dans une chute, Edgar Evans éprouva une commotion cérébrale. Il mourut de mort naturelle. Sa disparition laissa notre équipe affaiblie au moment où un hiver précoce fondait sur nous.

Mais tout cela n'est rien en comparaison de ce qui nous attendait sur la Barrière. De nouveau j'affirme que les dispositions prises pour assurer notre retraite étaient adéquates et que personne n'aurait pu prévoir, à cette époque de l'année, les températures et l'état de la neige que nous avons rencontrés. Sur le plateau, entre les 85e et 86e degrés de latitude, nous eûmes -28° et -34° ; or, sur la Barrière, par 82° de latitude et à une altitude de 3 000 mètres plus basse, nous avons éprouvé généralement -34° dans la journée, -44° la nuit, avec un perpétuel vent debout durant les marches. Ces circonstances se sont produites en quelque sorte à l'improviste et notre perte est due à l'arrivée subite de ce mauvais temps, phénomène dont il semble impossible de découvrir la cause. Jamais des êtres humains n'ont souffert autant que nous pendant ce dernier mois. En dépit du froid et du vent, nous aurions cependant réussi à passer, sans la maladie d'un second de nos compagnons, le capitaine Oates, sans la diminution de la provision de combustible contenue dans les dépôts, diminution inexplicable, sans enfin ce dernier ouragan. Il nous a arrêtés à 11 milles (20 kilomètres) du dépôt où nous

In Respectful Memory of
THE GREAT HERO
Captain R. SCOTT, R.N.
AND HIS NOBLE COMPANIONS,
who succumbed in their endeavours for
Scientific Research in the Antarctic.
The last and greatest Expedition.
GONE BUT NOT FORGOTTEN

espérions trouver les vivres nécessaires à la dernière partie du voyage. Eût-on jamais plus mauvaise chance ? Nous sommes arrêtés à 11 milles du dépôt *One Ton Camp,* n'ayant plus de vivres que pour deux jours et de combustible que pour un seul repas. Depuis quatre jours, il nous a été impossible de quitter la tente : l'ouragan hurle autour de nous. Nous sommes faibles, je puis à peine écrire. Cependant, pour ma part, je ne regrette pas d'avoir entrepris cette expédition ; elle montre l'endurance des Anglais, leur esprit de solidarité et prouve qu'ils savent regarder la mort avec autant de courage aujourd'hui que jadis. Nous avons couru des risques, nous savions d'avance que nous allions les affronter. Si les choses ont tourné contre nous, nous ne devons pas nous plaindre, mais nous incliner devant la volonté de la Providence, résolus à faire de notre mieux jusqu'au bout. (...)

Robert Scott

L'épopée de Shackleton

*Shackleton, pour boucler son budget, avait obtenu un prêt important d'un syndicat d'industriels et donné comme garantie les revenus des photographies prises au cours de l'expédition. Au moment du naufrage de l'*Endurance*, les plaques photos se trouvent à un mètre sous l'eau. Franck Hurley, le photographe, plonge pour les récupérer. Elles sont conservées maintenant à Cambridge.*

A son retour du raid vers le pôle Sud, Shackleton fait des tournées de confé-

rences pour rembourser ses dettes. Ici, des hommes sandwich déguisés en ours (animal inconnu dans l'Antarctique) annoncent la prochaine conférence.

Différents états de la glace de mer. En haut : pack lâche avec nombreux chenaux d'eau libre. En bas : l'*Endurance* laisse son sillage dans un champ de jeune glace.

Ci-dessus : pack dense ; il n'y a aucun chenal et, au premier plan, on distingue des hummocks ou monticules de glace dûs à la pression.

S'installer et... s'occuper

Ci-dessus, a droite : Worsley observe une hauteur d'étoile au théodolite.

Ci-dessus, à gauche, la photo souvenir de l'expédition : Shackleton est au premier rang, troisième à partir de la gauche.

Ci-dessous, à gauche : le « carré » de l'*Endurance,* centre de vie et d'activités que tout le monde à bord appelait le Ritz.

Ci-dessous, à droite : les chiens ont été installés sur le pack dans des igloos.

Octobre 1915

« Shackleton me dit : c'est la fin de notre pauvre navire... il faut l'abandonner. Moi, je ne répondis pas mais regardai les bordés entrouverts qui laissaient passer l'eau s'engouffrant comme une cataracte à l'intérieur. »

Journal de Worsley, commandant de l'*Endurance*

A gauche : Franck Hurley, 28 ans, photographe de l'expédition. D'origine australienne, il avait déjà hiverné à Cap-Denison avec Mawson.

En haut : pendant six mois, les 28 hommes ont vécu sur ce radeau de glace en dérive lente vers le nord.

Ci-dessus : Franck Hurley et Sir Ernest Shackleton devant leur tente sur le pack. Le poêle marchait à la graisse de phoque.

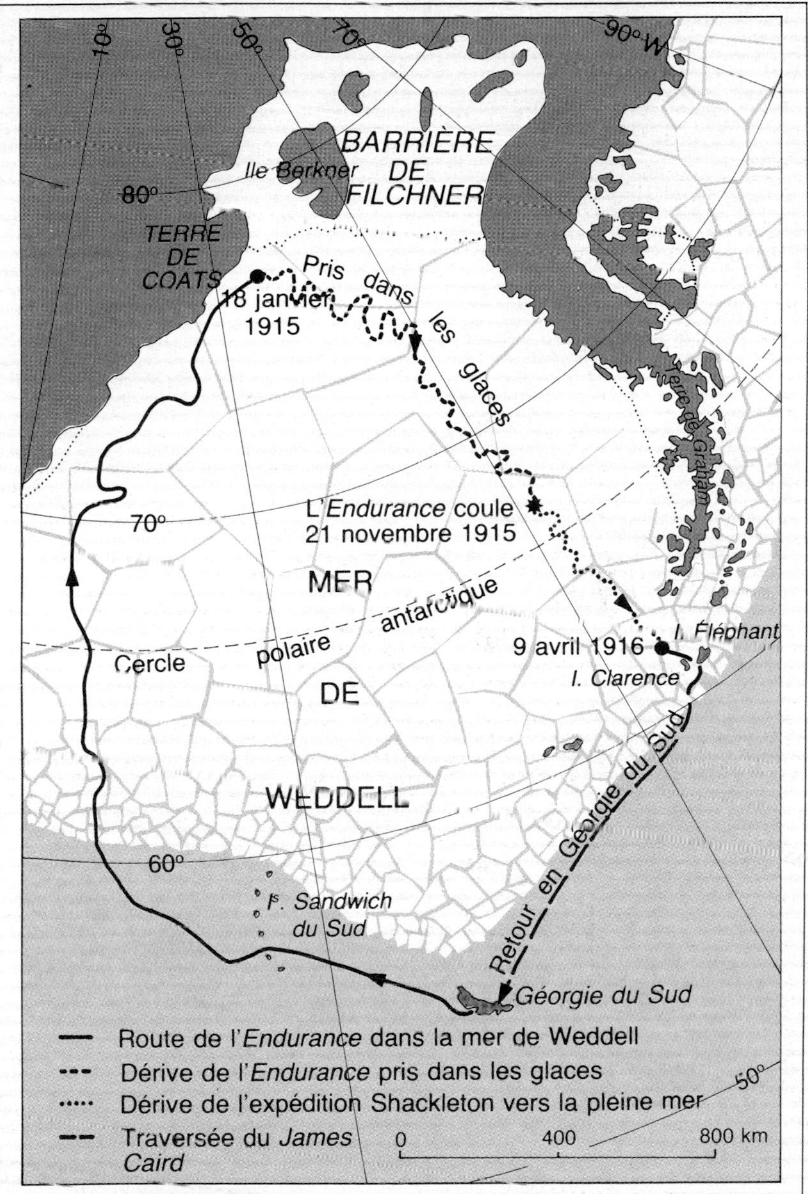
10°
30°
50°
70°
90° W
80°
70°
60°
50°
BARRIÈRE DE FILCHNER
Ile Berkner
TERRE DE COATS
18 janvier 1915
Pris dans les glaces
L'Endurance coule 21 novembre 1915
MER DE WEDDELL
Cercle polaire antarctique
Terre de Graham
9 avril 1916
I. Éléphant
I. Clarence
Retour en Georgie du Sud
Géorgie du Sud
Sandwich du Sud
Route de l'Endurance dans la mer de Weddell
Dérive de l'Endurance pris dans les glaces
Dérive de l'expédition Shackleton vers la pleine mer
Traversée du James Caird
0
400
800 km

24 avril 1916

« Nous poussons le *James Caird* à l'eau pour le départ d'une entreprise extrêmement hasardeuse. Les secours les plus proches se trouvent à 800 nautiques. »

Journal de Franck Hurley

« Nous prenons 30 jours de vivres et remplissons les deux tonneaux de la baleinière de 150 litres d'eau de fonte (pour 6 hommes).

– Que pensez-vous du Cap Horn ? me demande Shacklton, c'est le point le plus proche.

– Oui, mais nous ne l'atteindrons jamais, les tempêtes d'ouest nous en empêcheront ; avec de la chance on pourrait arriver aux Falkland.

– Je crains, répond Shacklton, qu'il ne faille mettre le cap sur la Géorgie du Sud comme vous l'avez suggéré. C'est la route la plus longue mais les vents nous y porteront.

Skipper, nous avons vécu pas mal d'aventures ensemble, mais, cette fois-ci, je crois que l'heure est arrivée.

Marche ou crève, comme ils disent dans les livres. »

Journal de Worsley

Le remorqueur chilien *Yelcho* est en vue !

« Je perce notre dernier bidon de pétrole, en imbibe des vêtements, des moufles, des chaussettes et les enflamme pour signaler notre présence (fumée à gauche).

Macklin court jusqu'au mât, mais la drisse et le pavillon sont gelés. Il envoie son chandail en tête de pont. Soudain, le navire stoppe et met une baleinière à l'eau. Nous reconnaissons la silhouette de Sir Ernest et poussons un hourrah : « Dieu merci, le boss est vivant ! »

Journal de Franck Wild

Les voyages de Charcot

Entre banquise et glaciers, la mer emporte Jean-Baptiste Charcot à la découverte des continents polaires inexplorés, avant d'engloutir, en 1936, l'équipage et le commandant du Pourquoi pas ?

Jean-Baptiste Charcot naît à Neuilly-sur-Seine (c'est encore la campagne) le 15 juillet 1867. Son père, Jean-Martin Charcot, professeur à la Salpêtrière, est le créateur de la neuropathologie. Conformément aux habitudes du temps, la carrière du fils est toute tracée : il sera médecin. Mais l'enfant ne rêve que navigation, couvre de vaisseaux ses cahiers de l'École alsacienne et joue à l'explorateur polaire dans le jardin de Neuilly. Pendant les vacances, à Ouistreham sur la côte normande, il s'initie à la vie maritime sous la tutelle des pêcheurs.

Malgré cette vocation bien ancrée, Charcot se soumet à la volonté paternelle et réussit brillamment l'externat. Après son service militaire, effectué aux chasseurs alpins, il est reçu interne des hôpitaux en 1891, travaille avec son père à la Salpêtrière et soutient sa thèse en 1895. Après la mort du professeur Charcot, Jean-Baptiste oblique vers la biologie et entre à l'Institut Pasteur où il entreprend des travaux sur le cancer.

Mais la passion de la navigation le tenaille. Grâce aux relations de son épouse, Jeanne Victor-Hugo, belle-fille du ministre de la Marine, Édouard Lockroy, il est admis comme médecin auxiliaire de la flotte. Très lancé dans la société parisienne, il pourrait se laisser vivre, mais la passion de la découverte le dévore. Il veut aussi se faire un prénom. Il passe toujours ses étés en mer. D'abord sur son yacht, le *Courlis*, puis en 1893 sur le premier *Pourquoi pas ?*, un cotre de 15 tonneaux et d'une longueur de 19,50 m, construit selon ses plans : navigation le long des côtes anglaises et irlandaises. En 1901, Charcot entreprend une croisière d'étude aux îles Féroé, qui lui permet de compléter les instructions nautiques de l'archipel et de recueillir à terre une masse d'informations considérable. Le voyage aboutit à la rédaction d'un *Guide,* publié par le Yacht Club de France. En fait, une récidive, car le médecin-marin a déjà publié *la Navigation à la portée de tous,* best-seller qui contribuera à former des générations de marins.

En 1902, il reçoit sa première mission officielle du ministère de la Marine, qui le charge d'étudier les pêcheries de l'île Jean-Mayen, possession norvégienne dans l'Arctique, alors très fréquentée par les baleiniers. Parti sur une goélette en fer, la *Rose-Marine*, il étend son champ d'investigation à différentes disciplines scientifiques, dont le volcanisme, et parcourt l'Islande à poney. A ses yeux, autant d'amusettes ! Il déplore le fait que, depuis 1840 environ, la France se soit détournée de l'étude des régions polaires, alors que d'autres pays y multiplient les expéditions scientifiques.

En 1897-1899, sur le *Belgica,* Adrien de Gerlache avait réussi le premier hivernage dans l'Antarctique. Le Congrès international de géographie, réuni à Berlin en 1899, avait recommandé l'exploration systématique du continent austral, encore bien mystérieux, et l'appel avait été entendu ; en 1902, quatre équipes étaient à pied d'œuvre dans ces régions : une anglaise, Scott sur le *Discovery*, une allemande, Erich von Drygalski sur le *Gauss,* une suédo-norvégienne avec Otto Nordenskjöld sur l'*Antarctica,* et une écossaise, celle de W.S. Bruce sur la *Scotia.* La France brille par son absence, ce qui décide Charcot, d'abord tenté par l'Arctique, à se lancer dans l'aventure. A Saint-Malo, il fait construire à ses frais un navire d'exploration polaire à coque en chêne, renforcée pour la navigation dans les glaces, gréé en trois-mâts goélette et muni d'une machine auxiliaire de 125 chevaux, qu'il baptise *le Français.*

Le Français, trois-mâts barque de 32 m avait été construit dans les chantiers du père Gauthier, à Saint-Malo.

La France boude l'aventure

Au début de 1903, la communauté scientifique s'inquiète du sort de Nordenskjöld, dont on est sans nouvelles, et Charcot décide de partir pour l'Antarctique. Mais il lui faut des concours officiels car pareille mission scientifique ne peut être financée par un particulier, si fortuné soit-il. Une longue bataille s'engage contre l'indifférence et la pingrerie des pouvoirs publics. Le président de la République, Loubet, accorde son patronage, l'Académie des sciences, le Muséum d'histoire naturelle et la Société de géographie également ; le Bureau des longitudes prodigue force conseils, la

L'état -major du *Français.* Devant, de gauche à droite, Rey, Charcot, Matha; derrière, Pléneau, Turquet, Gourdon.

Marine nationale concède cent tonnes de charbon et quelques instruments. La Commission des Missions du ministère de l'Instruction publique refuse net toute subvention.

Aidé par son nom et ses relations, Charcot lance une souscription qui recueille tout juste vingt mille francs. La France bourgeoise boude l'aventure, fût-elle scientifique. D'esprit plus ouvert, le journal *le Matin* vient de lancer une souscription nationale pour construire un sous-marin, appelé lui aussi *le Français.* Son directeur, Brunau-Varilla, offre à Charcot cent cinquante mille francs-or qui permettent d'achever les préparatifs. Parmi les rares et touchants concours bénévoles, celui d'un fabricant de Carentan ; enthousiasmé par l'expédition, il offre du lait conservé grâce à un procédé de son invention, du beurre et du calvados qui feront les délices de l'équipage. Néanmoins, les soucis matériels pèsent durement : « Rien ne sera jamais plus pénible que les douze mois par lesquels je viens de passer », note Charcot. (...)

L'expédition se fixe pour objectifs des travaux d'océanographie, de météorologie, de zoologie, de paléontologie et de géographie, dans la partie du continent antarctique située au sud de la Patagonie, dans le secteur des terres de Graham et d'Alexandre-Ier Pas un Français ne les a foulées depuis la brève incursion de Dumont d'Urville en 1838.

L'équipage comprend dix-neuf hommes, dont les deux officiers de marine. (...) Le bateau est solide mais la machine, beaucoup trop faible, sera cause de soucis permanents. (...)

L'expédition gagne Buenos Aires, d'où elle repart le 23 décembre 1903 en direction de la Terre de Feu. En janvier 1904, Charcot pique vers le sud à destination de la Terre de Graham. Le navire est effroyablement encombré de matériel en tout genre — dont une maison démontable — et de vivres prévus pour une longue campagne d'hiver. (...) L'équipage les trouve à son goût. Le charbon s'entasse partout...

Très vite, Charcot se heurte à des difficultés qui rappellent celles que connurent ses prédécesseurs : une navigation extrêmement difficile, à l'aide d'instruments encore très sommaires et au milieu de courants inconnus dans des parages pour lesquels il n'existe ni carte fiable, ni relevé hydrographique. Constamment sur le qui-vive, les navigateurs sont à la merci d'une roche non repérée, d'un iceberg pris pour une côte ou inversement. Le 2 février 1904, *le Français* arrive en vue d'un poudroiement d'îles et de caps au

Le *Français.* dans le décor de l'Antarctique.

sud-ouest de l'archipel des Shetlands du Sud, une région dont les contours n'ont jamais été relevés car elle n'a été fréquentée jusqu'alors que par les pêcheurs de phoques et de baleines, évidemment dénués de préoccupations scientifiques.

Sur les falaises de glace

Malgré une première avarie de chaudière – il y en aura beaucoup d'autres –, le travail de relevé commence. On progresse avec précaution, en cherchant des chenaux, dans les points faibles de la glace, « quelquefois l'attaquant de vive force avec notre puissant avant, écartant ou chavirant des gros blocs plats, d'autres fois grimpant dessus et, par le poids du bateau, déterminant une fente qui gagne en serpentant et nous permet d'écarter et de passer à travers les deux morceaux séparés de l'obstacle ». Pour diriger cette navigation « vraiment passionnante », Charcot grimpe dans la mâture. Installé sur une vergue, il constate avec satisfaction que le bateau résiste bien et se révèle très manœuvrant. (...)

Suivant avec précaution la côte, dont il fouille la moindre anfractuosité à la recherche d'un abri pour y passer la nuit ou réparer la machine, *le Français* s'engage dans un labyrinthe d'icebergs aux paysages féeriques : « C'est un décor merveilleux avec le temps clair et splendide dont nous jouissons ; partout de hautes et formidables chaînes de montagnes dont la blancheur éclatante fait ressortir davantage les quelques roches aux falaises dénudées, aux teintes

Chasse et pêche occupent l'équipage ; les oiseaux tués sont accrochés à l'arrière du bateau, dans un garde-manger naturel.

noires ou rougeâtres ; les glaciers et les icebergs plus rapprochés de nous passent par toutes les nuances de bleu, depuis l'azur le plus pâle jusqu'au bleu de Prusse, et ces constructions, délicates comme une œuvre d'art inimaginable en pâte de verre, viennent trancher ou se confondre avec le bleu intense et transparent de la mer. » (...)

Le 8 février, première descente à terre sur la banquise. Impossible d'établir un campement ; on parvient tout juste à dresser une tente où l'enseigne Rey entreprend les observations magnétiques. Pendant qu'on s'active à réparer les fuites de la chaudière, le lieutenant de vaisseau Matha installe un marégraphe enregistreur, le naturaliste Turquet empaille des oiseaux et le géologue Gourdon entasse des échantillons de roche. D'autres encore chassent le phoque et le pingouin pour nourrir les chiens de l'expédition.

La faune du pôle

On mesure aujourd'hui, grâce au texte de Charcot, l'appauvrissement de la faune marine depuis cette époque. Le 6 février, une bonne cinquantaine de phoques évoluent autour du bateau qu'ils encerclent comme s'ils voulaient monter à l'abordage ; survient une baleine qui les disperse. Les cétacés pullulent dans ces eaux. Écologiste avant la lettre, Charcot est soucieux de protéger la nature et sympathise avec les espèces animales rencontrées. Il évoque avec humour les mœurs et les « villages » des adélies et des papous, deux variétés de pingouins qui prolifèrent dans les parages et qu'il défend contre ses chiens, qui en feraient volontiers un massacre. (...)

Charcot est néanmoins contraint de sacrifier quelques phoques et pingouins, dont la graisse est un excellent combustible, utilisé pour faire fondre la glace qui fournira l'eau douce indispensable à la consommation de l'équipage et des chaudières. (...) Mais il veille à ce qu'on ne les fasse pas souffrir.

Au début de mars 1904, l'expédition s'installe dans une baie de l'île Wandel pour l'hivernage. Par 65° 5 de latitude sud, elle s'établit « dans une région où aucune observation régulière de quelque durée n'a été entreprise », puisqu'elle a dépassé d'un degré le point le plus au sud atteint par Nordenskjöld. L'emplacement étant favorable aux observations scientifiques, un campement s'établit au sommet d'une colline où l'on dispose les instruments. Bien amarré, *le Français* est protégé des glaces par un barrage de fortune. La maison démontable, constituée de panneaux de bois garnis d'amiante et d'un toit de tôle ondulée, est fichée sur la glace, et une cabane en bois, cloutée de cuivre, sert de laboratoire pour les observations magnétiques. Baptisée « avenue Victor Hugo », une route en corniche, qui permet d'utiliser les traîneaux et les chiens, dessert les hangars où vivres et matériel sont stockés.

« Un merveilleux équipage »

Pendant cet hivernage – les températures descendent à moins 39° C –, les travaux scientifiques vont bon train. Charcot mène ses études bactériologiques avec des appareils de sa fabrication et les cultures microbiennes se développent. (...)

Malgré l'environnement austère, l'atmosphère du bord est excellente, ce qui est tout à l'honneur du chef. Enfermés dans un microcosme qui pourrait devenir insoutenable, les hommes conservent une bonne

Matha prend des mesures au théodolite, cependant que Charcot réussit à approcher une colonie de pingouins.

« Je m'amusais fréquemment à avoir de longues conversations avec eux, me couchant sur la neige pour être à la hauteur, et les pingouins autour de moi, tout près de ma figure, m'écoutaient certainement et me répondaient dans une langue qui m'était, hélas, inconnue. »

« Les pétrels prennent des allures grotesques avec leurs grandes ailes déployées, leur formidable bec jaune à crochet, courant sur leurs longues pattes écartées en compas. »

humeur méritoire. « C'est un merveilleux équipage que le nôtre, se pliant à tous les métiers, à toutes les exigences avec entrain. » Les querelles politico-religieuses, pourtant si vives alors – 1904 est la pleine époque du combisme et de la lutte anticléricale menée par le gouvernement ; Dreyfus sera réhabilité deux ans plus tard –, ne troublent jamais la bonne harmonie. (...)

Suivant une tradition ancienne dans la marine, Charcot organise des séances d'enseignement mutuel. En mai 1904, l'école fonctionne. Matha donne des cours à deux candidats aux examens de capitaine au long cours ; Charcot, le géologue Gourdon et Pléneau, l'homme à tout faire, dispensent trois niveaux d'enseignement pour répondre aux souhaits respectifs des hommes. Un des matelots est analphabète, un autre désire se perfectionner en orthographe, arithmétique, histoire et géographie, et un troisième fait l'apprentissage de la langue de Shakespeare sous la tutelle du commandant. Le bord dispose d'une bibliothèque abondante et celle de Charcot va d'Homère à Victor Hugo et Michelet. (...)

En août 1904, par –25° C et en baleinière, une exploration de la côte est entreprise avec des équipements qui nous paraîtraient bien sommaires aujourd'hui. Dans l'ensemble, l'état de santé est satisfaisant, bien que, faute de lunettes protectrices suffisamment efficaces, des crises très douloureuses d'ophtalmie des neiges se déclenchent. Mais la résistance physique des hommes est remarquable.

« L'attirance des régions polaires »

L'apparition du printemps austral, en septembre, permet de donner une nouvelle impulsion aux travaux scientifiques, portant sur l'électricité atmosphérique, les courants marins, l'hydrographie côtière et sur toutes les espèces animales rencontrées, spécialement les oiseaux : cormorans, sternes, mouettes et mégalestris.

En décembre, il faut songer à repartir, et d'abord à débloquer *le Français* pris dans les glaces. La mélinite, un explosif puissant, utilisé par les prédécesseurs de Charcot pour briser les blocs de glace, se révèle inefficace ; on dégage donc la couche de neige avant de scier la banquise. Le jour de Noël, c'est l'appareillage ; le mauvais fonctionnement de la machine et le manque de charbon obligent à marcher à la voile.

Malgré le temps défavorable, Charcot pousse une pointe en direction de la Terre de Graham. Le 15 janvier

1905, le navire heurte – « talonne sur », disent les marins – une roche à fleur d'eau, ce qui provoque, dans un site farouchement inhospitalier, une avarie qu'il est impossible de réparer. Au prix d'un service épuisant, les pompes étalent la voie d'eau. Malgré ces difficultés, on stoppe de temps en temps pour faire des observations hydrographiques. Le 15 février, le *Français* quitte l'Antarctique et arrive à Buenos Aires le 29 mars. Le gouvernement argentin achète et réparera le navire. Salués par le croiseur *Dupleix,* Charcot et ses hommes s'embarquent pour la France sur le paquebot *Algérie.*

L'expédition rapporte des résultats importants, si bien que le ministre de la Marine, Gaston Thomson, et les milieux scientifiques réservent aux explorateurs un accueil enthousiaste. Charcot s'attelle à la publication du bilan scientifique mais, comme tout vrai marin, ne songe qu'à repartir vers les régions polaires qui le fascinent :

« D'où vient donc l'étrange attirance de ces régions polaires, si puissante, si tenace qu'après en être revenu on oublie les fatigues morales et physiques pour ne songer qu'à retourner vers elles ? D'où vient le charme de ces contrées pourtant désertes et terrifiantes ? » Plaisir de l'inconnu, griserie de l'effort, orgueil de la difficulté vaincue, « religieuse empreinte », ces éléments se mêlent pour entretenir le désir de montrer une nouvelle expédition, désir auquel Charcot cède presque aussitôt.

Après *Le Français,* le *Pourquoi pas ?.* Charcot le fait construire dans les mêmes chantiers

Pourquoi pas le Groenland ?

Cette fois, les concours sont empressés et généreux. Élu président de la Chambre des députés en 1905, Paul Doumer obtient du gouvernement une subvention de six cent mille francs ; le prince de Monaco, féru d'océanographie, prête des instruments, et de nombreux particuliers apportent leur contribution, de sorte que Charcot envisage la construction d'un nouveau navire : le célèbre *Pourquoi Pas ?*, qui sera lancé à Saint-Malo le 18 mai 1908. Ce trois-mâts barque, à machine auxiliaire, de 445 tonneaux, à coque renforcée, dispose d'aménagements spacieux et confortables, dont trois laboratoires et deux bibliothèques prévues pour recevoir deux mille volumes.

Le 15 août 1908, le *Pourquoi pas ?* (vingt-deux hommes d'équipages) quitte Le Havre en direction de l'Antarctique. L'équipe scientifique comprend quatre savants civils et trois officiers de marine. (...)

La nouvelle équipe poursuit l'exploration de la Terre de Graham puis, après un échouage qui lui vaut douze heures d'angoisse, elle continue sa route vers l'île Adélaïde, aperçue en 1831, dont elle précise les dimensions et la configuration, puis vers la terre Alexandre-Ier, presque inconnue. Fin novembre 1909, le *Pourquoi pas ?* se ravitaille aux îles Shetland du Sud, avant de repartir vers le sud-ouest, pour atteindre, par 70° sud et 75° ouest, une terre nouvelle que les glaces l'empêchent d'approcher. Charcot aperçoit une île, baptisée Pierre-Ier par Bellingshausen ; personne ne l'avait revue depuis le passage de ce navigateur russe en 1820 car nul n'avait osé s'aventurer depuis dans ces parages hostiles. Charcot, lui, dépasse le 70° sud et reconnaît environ deux mille kilomètres de côtes inexplorées du continent antarctique.

En juin 1910, le *Pourquoi pas ?* est de retour à Rouen et, dans le grand amphithéâtre de la Sorbonne, le monde savant salue l'homme qui s'est attaqué au secteur le plus ingrat et le plus périlleux de l'Antarctique. La moisson scientifique est abondante : à lui seul, Rouch publie trois volumes d'observations concernant la météorologie, l'océanographie et l'électricité atmosphérique.

Devenu laboratoire flottant de l'École pratique des hautes études, le *Pourquoi pas ?* effectue en 1911 une croisière océanographique en Manche. Puis, comme Charcot ne peut subvenir à son entretien, il est transformé par la Marine marchande en navire-école pour les futurs capitaines au long cours, que Charcot conduit dans les parages de l'Islande et de l'île Jan-Mayen.

Mobilisé en 1914, Charcot commande en 1915, comme lieutenant de vaisseau auxiliaire, un baleinier armé par un équipage franco-anglais chargé de surveiller les îles Féroé, où l'on soupçonne que les sous-marins allemands ont établi une base. Il conçoit alors un bateau-piège, destiné à la lutte anti-sous-marine, que la Marine adopte. Il reçoit le commandement d'un de ces bateaux-pièges, la *Meg,* avec lequel il patrouille jusqu'à la fin du conflit.

Promu capitaine de corvette en 1920, Charcot récupère son *Pourquoi pas ?,* désormais armé par la Marine nationale et entretenu par l'Instruction publique. Conseiller scientifique du Service hydrographique de la Marine, ses croisières le mènent au Groenland à partir de 1925. Premier Français à pénétrer sur sa côte orientale, il se passionne pour ce pays. Élu à

A bord du *Pourquoi Pas ?*: le commandant Charcot, au centre, alors âgé de 67 ans ; à gauche, Paul Emile Victor, le futur explorateur polaire.

l'Académie des sciences en 1926, Charcot reçoit cette même année le prix Albert de Monaco.

A partir de 1930, avec le concours de l'Académie de marine, qui l'a reçu en 1929, du Bureau des longitudes et de l'Académie des sciences, Charcot prépare l'Année polaire internationale. Paul Doumer, qui est maintenant président du Sénat, l'aide à obtenir des crédits que la Chambre avait d'abord refusés. L'établissement d'une station scientifique au Scoresby Sound, près d'une colonie d'Esquimaux, peut commencer.

En 1933, le *Pourquoi pas ?* tente l'exploration de la côte dite de Blosseville, en l'honneur du jeune navigateur français qui s'y était perdu en 1833 avec la *Lilloise,* et Charcot installe au Groenland la mission ethnographique, dirigée par Paul-Émile Victor, qui séjournera pendant un an à Angmagsalik, dans le Sermilikfjord. L'année suivante, il vient la rechercher et poursuit l'établissement d'une cartographie encore très incertaine dans ces régions.

Le 14 juillet 1936, Charcot quitte Saint-Servan pour la dernière fois. La banquise du Groenland oriental, particulièrement réduite cette année-là, permet au *Pourquoi pas ?* d'atteindre une zone en général inaccessible. Mais, pendant tout l'été, les tempêtes se déchaînent. Dans l'une d'elles, d'une violence extrême, Charcot disparaît avec son batîment, fracassé sur les rochers au large d'Aftanes en Islande, le 16 septembre 1936. Des quarante hommes de l'équipage, un seul survécut : le maître timonier Le Gonidec, jeté à la côte par une lame. L'épave du *Pourquoi pas ?* vient d'être retrouvée par une mission scientifique française.

Etienne Taillemite,
l'Histoire, décembre 1986.

Voyage chez les manchots

Les manchots empereurs pondent leurs œufs en plein hiver ; c'est donc à cette époque qu'il faut aller vivre au milieu d'eux pour étudier les embryons. L'expédition Terre Adélie 1951 réalise ainsi deux raids. Nuit, froid, blizzard mais aussi incertitude quand il s'agit de se déplacer sur la glace de mer.

Extrait du journal de Michel Barré
Chef de l'expédition 1951 en Terre Adélie

Un raid hivernal sur la glace de mer est indispensable à la fin du mois d'août. Il s'agit de retourner à Pointe-Géologie, à 150 km à l'ouest de la base pour étudier l'éclosion et les premières semaines de vie des manchots empereur.

Un raid au mois de juin a montré que la glace de mer isolée par l'épaisse couche de neige peut être à moitié fondue faisant courir de graves dangers aux véhicules à chenilles, les *weasels.*

Le temps au mois d'août a été effroyable : entre le 7 août et la fin du mois, il y a eu quatorze jours de blizzard violent avec des vents de 80 à 160 km/h et cinq jours de chutes de neige.

Le 2 septembre, à l'aube, le temps est un peu plus calme que d'habitude. On ne peut pas dire que c'est du beau temps : le ciel est gris et menaçant, le

vent soulève des petits tourbillons de neige qui montent parfois jusqu'à la ceinture, mais il y a tellement longtemps que nous avons oublié le vrai beau temps avec soleil radieux, pas un nuage ni un souffle d'air, que nous avons pris l'habitude de nous contenter de peu. Les voyageurs s'équipent en hâte, finissent de charger les traîneaux, prennent un solide petit déjeuner avant de partir. Dans ma chambre, je trépigne mentalement d'impatience. J'ai hâte de les voir en route. Ce réflexe est stupide ; si le mauvais temps doit survenir, il vaut certainement mieux qu'ils soient à la base que sur la glace de mer ; mais, malgré moi, j'entretiens une sorte de superstition qui me fait penser qu'une fois dehors, les événements sont inévitables et qu'il est plus facile de les supporter que de les envisager.

Au début de la matinée, les weasels partent vers le large et font route vers l'île Verte.

A midi, ils nous annoncent qu'ils font route pour doubler le front du glacier de Penola. Une heure à peine s'écoule à la base, le blizzard a forcé, la visibilité tombe et la vitesse du vent monte d'une façon vertigineuse. Eux aussi, quelques instants plus tard, sont atteints par les tourbillons de neige et doivent s'immobiliser. Ça tombe mal, ils sont juste à l'un des plus mauvais endroits du parcours. Au milieu des crépitements du blizzard qui pétaradent dans le haut-parleur de la radio, nous les entendons à peine. Je leur demande quel est l'état de la surface sur laquelle ils sont arrêtés. J'en entends juste assez pour savoir que la glace est complètement pourrie, que, sous la neige, il y a une vingtaine de centimètres de boue neigeuse tellement liquide qu'on dirait de l'eau. Nous nous couchons tous ce soir en pensant avec inquiétude à ce qui va se produire au cours de la nuit. Pendant ce temps-là, dans les weasels fermés à double tour, les camarades du raid sont tout aussi conscients que nous des centaines de mètres d'eau salée qui les supportent. Le blizzard accumule sous le vent des véhicules de longues congères de neige qui grossissent tellement vite que Bertrand a peur de les voir crever la glace par leur poids joint à celui du weasel. Toutes les heures les moteurs sont mis en route et les weasels avancent d'une vingtaine de mètres dans le coton. Cette progression minuscule n'est pas exempte de danger. En l'absence totale de visibilité ils ne savent pas où ils vont ; il y a toujours le risque de rencontrer une rivière ou un iceberg.

Le lendemain matin, la situation est identique ; on s'attend à une éclaircie. Dès que nous reprenons contact par radio, je demande à Bertrand ce qu'il en pense. Il est formel sur l'état de la surface. « La glace est pourrie ; le raid sans aucun doute est très dangereux. » Il me demande ce qu'il doit faire. Je me tourne vers le météorologue pour savoir ce qu'il en pense. Prudhomme prévoit bien un affaiblissement du blizzard mais il estime que nous sommes dans une mauvaise série et ne peut nous promettre les quelques jours de beau temps qui seraient nécessaires pour tenter une opération aussi risquée. J'ai été trop inquiet cette nuit, je n'ai pas d'hésitation, je conseille à Bertrand de rentrer.

Les weasels font demi-tour à 11 heures sous un ciel gris encore menaçant et reviennent à la base.

Bertrand repartira quatre jours après et réussira à passer.

Michel Barré.

A la rencontre des esquimaux

Durant le long hiver arctique, les distractions à bord sont réduites. C'est pourquoi les populations locales, avec leurs provisions de nourriture et d'objets d'artisanat sont bien accueillies. John Ross, en 1829, tient son journal et relate, en les illustrant, les contacts avec les Esquimaux de la péninsule de Boothia.

La *Victory* et l'*Isabella* sont bloquées dans les glac

10 août. A environ dix heures du matin ce jour, nous eûmes la joie de voir huit traîneaux conduits par des autochtones qui s'avançaient sur une route sinueuse en direction de l'endroit où nous nous tenions ; ils s'arrêtèrent à peu près à seize cents mètres de nous, descendirent des traîneaux et gravirent un petit iceberg comme pour une reconnaissance. Après avoir apparemment délibéré pendant presque une demi-heure, quatre d'entre eux redescendirent et vinrent en direction du mât sans toutefois se risquer à s'en approcher tout à fait. Dans l'intervalle on hissa un drapeau blanc au grand mât de chaque bateau, et John Sacheuse partit en messager, portant un petit drapeau blanc ainsi que quelques présents afin de les amener, si possible,

interprète, John Sacheuse, marche à la rencontre d'un groupe d'Esquimaux.

à entrer en pourparlers. Il s'était porté volontaire avec beaucoup d'entrain, demandant la permission d'y aller seul et sans arme, requête à laquelle il ne pouvait être fait aucune objection, car l'endroit choisi pour la rencontre était à moins de huit cent mètres de l'*Isabella*. C'était aussi avantageux pour les autochtones, car un canal, ou plutôt un petit gouffre dans la glace, infranchissable sans madrier, nous séparait les uns des autres, empêchant toute possibilité d'attaque de leur part, excepté par harpons.

En faisant le messager, Sacheuse ne montra pas moins d'adresse que de courage. Ayant disposé son drapeau à quelque distance il s'avança jusqu'au bord et, ôtant son chapeau, fit d'amicaux signes à ceux d'en face pour qu'ils s'approchent comme il l'avait fait ; ils s'exécutèrent partiellement, et s'arrêtant à une distance de trois cents mètres, ils descendirent de leurs traîneaux et poussèrent un retentissant cri d'appel auquel Sacheuse répondit en l'imitant. Ils se risquèrent à venir un peu plus près, n'ayant rien dans les mains que les fouets avec lesquels ils guident leurs chiens ; et, après s'être convaincus que le canal était infranchissable, l'un d'entre eux sembla prendre confiance. Des cris, des mots et des gestes furent échangés pendant quelque temps sans grand profit, bien que chaque partie paraisse, dans une certaine mesure, reconnaître la langue de l'autre. Au bout d'un moment, Sacheuse pensa déceler qu'ils parlaient le dialecte humooke, quoiqu'ils traînent beaucoup plus sur les mots que dans celui-ci. Il se mit aussitôt à l'utiliser lui aussi et, brandissant ses présents, leur cria *« Kahkeite »,* (Venez !) à quoi ils répondirent *« Naakrie, naakrieaiplaite »,* (Non, non, partez), et d'autres phrases encore, dont il établit qu'elles signifiaient qu'ils espéraient que nous n'étions pas venus pour les exterminer. Puis le plus hardi s'approcha jusqu'au bord du canal et, tirant un couteau de sa botte, répéta : « Partez, je peux vous tuer ». Sacheuse, pas du tout intimidé, leur dit qu'il était aussi un homme et un ami, tout en lançant par-dessus le canal quelques colliers de perles et une chemise à carreaux ; mais ils regardèrent ces choses avec beaucoup de méfiance et d'appréhension, continuant à crier : « Partez, ne nous tuez pas ». Sacheuse leur lança alors un couteau anglais en disant : « Prenez ça ». Ils s'en approchèrent avec précaution, le ramassèrent puis se mirent à hurler et à se tirailler le nez, actions aussitôt reprises par Sacheuse qui à ton tour hurla : *« Heigh, yaw ! »* et se tirailla le nez pareillement. Ensuite ils montrèrent la chemise du doigt, demandant avec insistance ce que c'était, et quand ils apprirent que c'était une pièce d'habillement, voulurent savoir en peau de quoi c'était fait. Sacheuse répondit que c'était fait avec les poils d'un animal qu'ils n'avaient jamais vu ; sur quoi ils la ramassèrent avec des expressions de grande surprise. Ils commencèrent alors à poser beaucoup de questions, s'étant avisés que la langue qu'eux-mêmes et que Sacheuse parlaient avait suffisamment de points communs pour leur permettre de communiquer avec lui.

D'abord ils désignèrent les bateaux et demandèrent avidement « Quelles grandes créatures étaient-ce là ? », « Si elles venaient du soleil ou de la lune ? », « Si elles nous donnent de la lumière la nuit ou le jour ? » Sacheuse leur dit qu'il était un homme, qu'il avait un père et une mère tout comme eux, et indiquant le sud, il dit qu'il venait d'un lointain pays dans cette direction. A quoi ils répondirent « Ça ne peut pas être, il n'y a rien que de la glace là-bas. » Ils redemandèrent « ce qu'étaient ces créatures ? » en montrant les bateaux. Sacheuse répondit que « c'étaient des maisons faites en bois ». Mais ils semblaient encore mettre en doute cette réponse et répondirent « Non, elles sont vivantes, nous les avons vues bouger leurs ailes. » Sacheuse les interrogea à son tour, leur demandant ce qu'ils étaient eux-mêmes ; ils répondirent qu'ils étaient des hommes et vivaient dans cette direction en indiquant le nord ; qu'il y avait beaucoup d'eau par là ; et qu'ils étaient venus ici pour pêcher des licornes de mer. Ensuite il fut décidé que Sacheuse pourrait franchir le canal pour les rejoindre, et il revint au bateau pour faire son rapport et demander un madrier.

Pendant toute la rencontre j'avais été occupé à observer leurs mouvements à l'aide d'une bonne longue-vue ; j'avais vu le premier homme s'approcher en montrant tous les signes de la peur et de la méfiance, se retournant fréquemment vers ses deux compagnons et leur faisant signe de s'approcher comme pour lui prêter soutien. Ils reculaient de temps en temps puis se ravançaient à pas prudents, très attentifs.

John Ross, *Relation du second voyage fait à la recherche d'un passage Nord-Ouest*
traduit de l'anglais par M. Bonneau

Des officiers se rendent dans le village d'igloos, tandis qu'un couple d'esquimaux, invité à bord de la *Victory,* tente de tracer une carte des environs.

Rites funéraires esquimaux

Les récits des explorateurs avaient fait connaître en Europe certains aspects de la civilisation des peuples du Nord. Avec Knud Rasmussen, petit-fils d'une Groenlandaise, l'esquimologie devient une science.

Ceux qui ont été désignés (engagés) pour enterrer un mort doivent rester silencieux dans leurs maisons et leurs tentes pendant cinq jours. Durant ce laps de temps, ils ne doivent pas préparer leurs repas ni couper de la viande cuite. Ils ne doivent pas enlever leurs vêtements pendant la nuit ni retirer leurs capuchons de fourrure. Une fois les cinq jours écoulés, ils doivent se laver soigneusement les mains et le corps pour se débarrasser de l'impureté qu'ils ont contractée du mort. Les Esquimaux expliquent ainsi pourquoi ils observent ce rite :

« Nous craignons la grande puissance du mal qui terrasse l'homme par la maladie et d'autres calamités. Les hommes doivent faire pénitence parce que le pouvoir du mort est sans limite et que sa sève est vigoureuse. Nous croyons que, si nous ne nous préoccupions pas de ce que nous ne maîtrisons pas, d'énormes avalanches de pierres se déclencheraient pour nous écraser, que de colossales tempêtes de neige se déclareraient pour nous anéantir et que l'océan se gonflerait de gigantesques vagues pendant que nous serions en haute mer dans nos kayaks. » Mais on peut par ailleurs acquérir plus de force au cours de sa vie et augmenter ses pouvoirs de résistance au danger, ainsi que réussir dans toutes les affaires de hasard, en utilisant des amulettes et des formules magiques.

L'amulette protège contre le danger et transmet différentes qualités à son détenteur ; dans certaines conditions, elle peut même le changer en animal, celui dont l'amulette provient. L'amulette d'un ours qui n'a pas été abattu par des mains humaines immunise contre les blessures ; une amulette de faucon assure la victoire dans une mise à mort ; le corbeau fait se contenter de peu ; le renard confère la ruse. Souvent les Esquimaux portent un *Porok* d'une pierre provenant du foyer, car celle-ci a été plus résistante que le feu ; ou encore ils enduisent la bouche d'un enfant de la salive d'un vieillard, ou bien déposent quelques poux de celui-ci sur la tête de l'enfant pour transférer la force vitale du vieux sur le jeune.

Les formules magiques sont « de vieux mots, l'héritage de l'ancien temps où la sève de l'homme était robuste et où les langues (dialectes) étaient puissantes. » Elles peuvent également se composer de mots rêvés par les vieillards et reliés sans signification apparente. Ces formules se transmettent de génération en génération, et l'individu les tient pour d'inestimables trésors qu'il ne faut pas révéler avant l'approche de la mort. Elles sont impossibles à traduire. (...)

Toujours à propos des traditions religieuses des Esquimaux polaires, il me faut ajouter que l'homme se divise en une âme, un corps et un nom.

L'âme, qui est immortelle, existe en dehors de l'homme et le suit comme l'ombre suit le soleil. C'est un esprit qui a exactement la forme d'un homme. Quand l'homme est mort elle s'élève jusqu'au ciel ou s'enfonce dans la mer, où elle s'assemble avec les âmes des ancêtres. Et il est aussi bon d'être dans les deux endroits.

Le corps est la demeure de l'âme ; il est mortel, car tous les malheurs et les maladies peuvent l'abattre. Dans la mort tout ce qui est mauvais reste dans le corps, d'où l'observance de règles particulières quand on s'occupe d'un cadavre.

Le nom est également un esprit à qui est attachée une certaine réserve de puissance vitale et d'habileté. Un homme à qui l'on donne le nom d'un défunt hérite de ses qualités.

Knut Rasmussen,
Greenland by the Polar Sea the Story of the Thule Expedition, from Melville Bay to Cape Morris Jesup
traduit de l'anglais
par Marianne Bonneau

Les compagnons des derniers rois de Thulé

Au printemps 1951, le géographe français Jean Malaurie quitte le village inuit de Siorapalouk, au Groenland, où il a passé onze mois, pour tenter un raid de deux mois en traîneaux à chiens, afin d'étudier la géomorphologie de la terre d'Inglefield.

Au centre, Jean Malaurie, directeur du centre d'études arctiques, continuateur de Charcot à l'Ecole des Hautes Etudes.

Le couple que l'Esquimau forme avec « ses » chiens est une réalité. L'attelage est une personne que l'on épouse et qui *vous* épouse, avec le leader qui est la bête et les autres chiens qui sont, littéralement, les membres, le corps. Sans ses chiens, l'Esquimau n'est pas lui-même. C'est un veuf qui a perdu ses forces, ses capacités d'action, sa joie de vivre. (...)

Tous les trois jours, l'été (tous les jours, l'hiver), les chiens doivent être nourris : 1 kg de viande par animal. Attachées à un point fixe, les bêtes sont tendues vers les vingt à trente morceaux débités au couteau ou à la hache. Il est absolument nécessaire de les jeter à chacun en respectant les hiérarchies de la traîne. Ils vous observent : les petites oreilles triangulaires tendues, le poil de l'échine saillante dressé, l'œil brun fixé sur vous, sur le moindre mouvement de votre main. Le morceau jeté est attrapé au vol. Les dents claquent. d'un coup de déglutition, le chien avale sans mastiquer sa livre de viande gelée. Sur quatre pattes pour manger, il se remet très vite en position d'attente, assis sur ses pattes de derrière. Qu'un morceau tombe au sol et le pacte est rompu : la viande personnalisée par le geste du donateur perd son aura en tombant à terre ; au cours d'une bruyante bataille, les chiens s'entre-déchirent. Devant l'homme, le plus fort doit établir son autorité.

Le *nâlagàq,* leader ou chien de tête, lui, est à l'écart ; il attend. L'œil tranquille, dominateur, il observe la scène comme négligemment. Un coup de croc ici et là, si la meute le presse par trop. *« Kranoqmin ivdlit ! »* Quand tu voudras ! » semble-t-il dire à l'homme. C'est à la qualité de l'attente, à la taille du ou des morceaux réservés, à la manière avec laquelle, distinctement et parfois ostentatoirement, vous les lui destinez, que vous obtiendrez ou non de sa part, votre titularisation. (...)

Leur large langue pend, rouge et rêche. D'un coup, comme négligemment, elles lappent la neige fraîche. Pourquoi tirent-elles avec tant de vigueur ? Sans doute parce que tenues affamées, par l'Esquimau implacable. Ainsi, pense-t-il, seront-elles toujours mues par l'illusoire espoir d'être enfin nourries au terme de l'étape et s'efforceront-elles d'abréger celle-ci. Chaque animal a sa propre laisse qui se fixe au-dessus de l'échine à l'*anô* (poitrail). Est-elle peu tendue, traîne-t-elle ... ? Le conducteur frappe de la mèche de son long fouet quelques points sensibles : les pattes, le bout des oreilles, les flancs ou le museau. Un bon conducteur sait frapper au cm^2 près ; une touffe de poils arrachée en témoigne. Un cri de souffrance. L'Esquimau sourit ; le chien a accusé le coup et tire déjà plus fort. Certains, par peur, se jettent violemment en avant, pressentant le coup qui va les frapper. Haletant comme des locomotives à vapeur, tel ou tel tourne à de brefs instants son museau givré et plisse de connivence ses yeux obliques cernés de noir ; il guette de l'Equimau une approbation. « Ne suis-je pas – et de toujours – avec toi ? Rassuré par un mot ou un regard, le chien plisse la paupière et repart gaiement, l'oreille pointée en avant, se frottant au passage à la femelle, qu'à la sauvette, il saillit, tout en courant, lorsque la laisse est lâche... Satisfait, l'animal rejoint en galopant sa place puis, comme pour remercier l'homme de sa complicité, donne un fort coup d'épaule au harnais.

(...) Il n'est pas d'exemple de chiens d'esquimaux cajolés qui soient devenus de bons tireurs. L'attelage est d'abord un outil qui ne doit pas vous trahir. A l'oublier, l'homme peut y laisser sa vie. L'Esquimau, en vérité, traite ses chiens comme il se traite lui-même. Plus je vais, plus je rapproche leur sociologie de celle de leurs attelages ; on vit, on lutte, on meurt. S'il n'y a rien à manger : on se couche, on attend. Les rapports affectifs sont brefs. Le malheur guette ; l'oublier un instant, c'est lui donner prise, l'accepter. Demain, bien sûr, c'est l'espoir, mais c'est surtout l'inconnu. Ici, rien n'est jamais donné définitivement ; tout est précaire.

Jean Malaurie,
les Derniers Rois de Thulé Editions Plon

Contes esquimaux

Dans l'extrême nord-est de la Sibérie, vivent des sociétés esquimaudes dont la tradition orale commence à être mieux connue. Dans ces contes recueillis dans les années 1940 par une institutrice soviétique, on trouve une présentation de la vie quotidienne, de la chasse, et aussi de l'organisation sociale. Le thème de l'orphelin y est souvent développé.

Iqangiqxaqx (celui qui est de boue)

Il y a longtemps, dit-on, cela fut. Un petit garçon avec sa sœur, avec beaucoup de villageois. La fillette demande aux villageois de la viande. Les villageois lui donnent de la viande. Et c'est ainsi qu'ils se nourrissent (mangent). Une fois, tous les villageois allèrent chez les Tchouktches, éleveurs de rennes. Seuls, les orphelins restèrent. Une fois, le garçon éclaboussa sa *kukhljanka* avec de l'eau. Ensuite il se mit avec son couteau à gratter la boue de sa *kukhljanka*. Le garçon ayant réuni la boue en fit un homme. Il l'acheva. Puis ayant fait l'arc, il se mit à faire la flèche. Ayant fini, il les plaça. Il les fit tenir par Iqangiqxaqx (l'homme fabriqué). Puis il dit à Iqangiqxaqx : « Quand quelque chose passera par ici (en cet endroit), tue-la. » Puis l'ayant laissé sur le rivage, il alla dans sa *yaranga*. Une fois arrivé, il entra. Une fois entré, il se mit à manger avec sa sœur. Ayant fini de manger, ils s'endormirent. Le lendemain matin, le garçon, après s'être réveillé, après être sorti, alla sur le rivage. Une fois arrivé, il se mit à gronder Iqangiqxaqx : « Cet Iqangiqxaqx est très désobéissant. Hier je t'ai dit : "Quand quelque chose passera ici, tue-la." » Iqangiqxaqx lui répondit : « Et çà, là-bas, qu'est-ce que c'est ? » Quand le garçon regarda, un lapin tué. Le garçon l'emporta. Quand il l'eut emporté, sa sœur se mit à le dépecer. Puis ils le firent cuire. Quand il fut cuit ils se mirent à le manger. Quand ils eurent mangé, il alla de nouveau sur le rivage. Une fois arrivé, quand il regarda, Iqangiqxaqx avait tué un renne sauvage. Le garçon l'emporta chez lui. Quand il l'eut rapporté sa sœur se mit à le dépecer. Puis, ils firent cuire le renne sauvage. Quand il fut cuit, ils

Depuis le XVIIIe siècle, les récits et les illustrations sur la vie et les mœurs des Esquimaux accompagnent les relations de voyage des explorateurs.

se mirent à manger. Ayant mangé, ils s'endormirent. Le matin, le garçon, quand il se réveille, va de nouveau sur le rivage. Quand il arrive, habituellement Iqangiqxaqx a tué un renne sauvage. Le garçon l'emporte chez lui. Iqangiqxaqx, chaque jour, tue un renne sauvage. Puis les orphelins se mirent à faire des vêtements. Une fois ceux qui avaient été chez les éleveurs de rennes revinrent (de nouveau arrivèrent). Quand ils arrivèrent les orphelins (à deux), ayant revêtu des vêtements neufs, allèrent sur le rivage. Ceux qui revenaient de chez les Tchouktches, éleveurs de rennes, amarrèrent. Ils ne reconnurent pas les orphelins. Ensuite ils allèrent chez eux. Puis ils se firent eux-mêmes des yarangas. Après cela, l'orphelin alla lui-même chasser les rennes sauvages, et ils se mirent à vivre bien.

C'est tout Tfai.

Contes et récits d'Esquimaux d'Asie
Ed. du CNRS, Paris, 1987

Chateaubriand explorateur

Après avoir assisté aux débuts de la Révolution, Chateaubriand se découvre explorateur. Il décide de partir en Amérique, à la fois pour y trouver le célèbre passage du nord-ouest et pour y rencontrer l'« homme de nature ».

Londres, d'avril à septembre 1822

J'étais impatient de continuer mon voyage. Ce n'étaient pas les Américains que j'étais venu voir, mais quelque chose de tout à fait différent des hommes que je connaissais, quelque chose plus d'accord avec l'ordre habituel de mes idées ; je brûlais de me jeter dans une entreprise pour laquelle je n'avais rien de préparé que mon imagination et mon courage.

Quand je formai le projet de découvrir le passage au nord-ouest, on ignorait si l'Amérique septentrionale s'étendait sous le pôle en rejoignant le Groenland, ou si elle se terminait à quelque mer contiguë à la baie d'Hudson et au détroit de Béring. En 1772, Hearne avait découvert la mer à l'embouchure de la rivière de la Mine-de-Cuivre, par les 71 degrés 15 minutes de latitude nord, et les 119 degrés 15 minutes de longitude ouest de Greenwich.

Sur la côte de l'océan Pacifique, les efforts du capitaine Cook et ceux des navigateurs subséquents avaient laissé des doutes. En 1787, un vaisseau disait être entré dans une mer intérieure de l'Amérique septentrionale ; selon le récit du capitaine de ce vaisseau, tout ce qu'on avait pris pour la côte non interrompue au nord de la Californie, n'était qu'une chaîne d'îles extrêmement serrées. L'amirauté d'Angleterre envoya Vancouver vérifier ces rapports qui se trouvèrent faux. Vancouver n'avait point encore fait son second voyage.

Aux Etats-Unis, en 1791, on commençait à s'entretenir de la course de Mackenzie : parti le 3 juin 1789 du fort Chipewan, sur le lac des Montagnes, il descendit à la mer du pôle par le fleuve auquel il a donné son nom.

Cette découverte aurait pu changer ma direction et me faire prendre ma route droit au nord ; mais je me serais fait scrupule d'altérer le plan arrêté entre moi et M. de Malesherbes. Ainsi donc, je voulais marcher à l'ouest, de manière à intersecter la côte nord-ouest au-dessus du golfe de Californie ; de là, suivant le profil du continent, et toujours en vue de la mer, je prétendais reconnaître le détroit de Béring, doubler le dernier cap septentrional de l'Amérique, descendre à l'est le long des rivages de la mer polaire, et rentrer dans les Etats-Unis par la baie d'Hudson, le Labrador et le Canada.

Quels moyens avais-je d'exécuter cette prodigieuse pérégrination ? Aucun. La plupart des voyageurs français ont été des hommes isolés, abandonnés à leurs propres forces ; il est rare que le gouvernement ou des compagnies les aient employés ou secourus. Des Anglais, des Américains, des Allemands, des Espagnols, des Portugais ont accompli, à l'aide du concours des volontés nationales, ce que chez nous des individus délaissés ont commencé en vain. Mackenzie, et après lui plusieurs autres, au profit des Etats-Unis et de la Grande-Bretagne, ont fait sur la vastitude de l'Amérique des conquêtes que j'avais rêvées pour agrandir ma terre natale. En cas de succès, j'aurais eu l'honneur d'imposer des noms français à des régions inconnues, de doter mon pays d'une colonie sur l'océan Pacifique, d'enlever le riche commerce des pelleteries à une puissance rivale, d'empêcher cette rivale de s'ouvrir un plus court chemin aux Indes, en mettant la France elle-même en possession de ce chemin. J'ai consigné ces projets dans l'*Essai historique,* publié à Londres en 1796, et ces projets étaient tirés du manuscrit de mes voyages écrit en 1791. Ces dates prouvent que j'avais devancé par mes vœux et par mes travaux les derniers explorateurs des glaces arctiques.

Je ne trouvai aucun encouragement à Philadelphie. J'entrevis dès lors que le but de ce premier voyage serait manqué, et que ma course ne serait que le prélude d'un second et plus long voyage.

Chateaubriand
Mémoires d'Outre-Tombe

Histoires extraordinaires

Sans le faire exprès, Edgar Poe, en 1831, retrouve la vision fabuleuse des pôles qui était celle de Mercator au XVIe siècle : l'océan se précipite dans un gouffre et s'absorbe dans les entrailles de la Terre.

Quand je regarde autour de moi, je suis honteux de mes premières terreurs. Si la tempête qui nous a poursuivis jusqu'à présent me fait trembler, ne devrais-je pas être frappé d'horreur devant cette bataille du vent et de l'Océan dont les mots vulgaires : tourbillon et simoun ne peuvent pas donner la moindre idée ? Le navire est littéralement enfermé dans les ténèbres d'une éternelle nuit et dans un chaos d'eau qui n'écume plus ; mais, à une distance d'une lieue environ de chaque côté, nous pouvons apercevoir, indistinctement et par intervalles, de prodigieux remparts de glace qui montent vers le ciel désolé et ressemblent aux murailles de l'univers !

Comme je l'avais pensé, le navire est évidemment dans un courant, – si l'on peut proprement appeler ainsi une marée qui va mugissant et hurlant à travers les blancheurs de la glace, et fait entendre du côté du sud un tonnerre plus précipité que celui d'une cataracte tombant à pic.

Concevoir l'horreur de mes sensations est, je crois, chose absolument impossible ; cependant, la curiosité de pénétrer les mystères de ces effroyables régions surplombe encore mon désespoir et suffit à me réconcilier avec le plus hideux aspect de la mort. Il est évident que nous nous précipitons vers quelque entraînante découverte, – quelque incommunicable secret dont la connaissance implique la mort. Peut-être ce courant nous conduit-il au pôle Sud lui-même. Il faut avouer que cette supposition, si étrange en apparence, a toute probabilité pour elle.

L'équipage se promène sur le pont d'un pas tremblant et inquiet ; mais il y a dans toutes les physionomies une expression qui ressemble plutôt à l'ardeur de l'espérance qu'à l'apathie du désespoir.

Cependant nous avons toujours le vent arrière, et, comme nous portons une masse de toile, le navire s'enlève quelquefois en grand hors de la mer. Oh ! horreur sur horreur ! – la glace s'ouvre soudainement à droite et à gauche, et nous tournons vertigineusement dans d'immenses cercles concentriques, tout autour des bords d'un gigantesque amphithéâtre, dont les murs perdent leur sommet dans les ténèbres et l'espace. Mais il ne me reste que peu de temps pour rêver à ma destinée ! Les cercles se rétrécissent rapidement, – nous plongeons follement dans l'étreinte du tourbillon, – et, à travers le mugissement, le beuglement et le détonnement de l'Océan et de la tempête, le navire tremble, – ô Dieu ! – il se dérobe... – il sombre !

Edgar Poe,
Manuscrit trouvé dans une bouteille.

Jules Verne, le premier arrivé aux pôles

En 1958, le Nautilus *américain passe sous l'Arctique. Mais un siècle avant, celui du Capitaine Nemo avait déjà traversé l'Antarctique... Et après avoir ainsi vaincu le pôle Sud, Verne devait envisager, en 1889, de faire fondre le pôle Nord !*

A trois cents mètres environ, ainsi que l'avait prévu le capitaine Nemo, nous flottions sous la surface ondulée de la banquise. Mais le *Nautilus* s'immergea plus bas encore. Il atteignit une profondeur de huit cents mètres. La température de l'eau, qui donnait douze degrés à la surface, n'en accusait plus que onze. Deux degrés étaient déjà gagnés. Il va sans dire que la température du *Nautilus*, élevée par ses appareils de chauffage, se maintenait à un degré très supérieur. Toutes les manœuvres s'accomplissaient avec une extraordinaire précision.

« On passera, n'en déplaise à monsieur, me dit Conseil.

– J'y compte bien ! » répondis-je avec le ton d'une profonde conviction.

“Le Nautilus fut bloqué.”

Sous cette mer libre, le *Nautilus* avait pris directement le chemin du pôle, sans s'écarter du cinquante-deuxième méridien. De 67° 30' à 90°, vingt-deux degrés et demi en latitude restaient à parcourir, c'est-à-dire un peu plus de cinq cents lieues. Le *Nautilus* prit une vitesse moyenne de vingt-six milles à l'heure, la vitesse d'un train express. S'il la conservait, quarante heures lui suffisaient pour atteindre le pôle.

Pendant une partie de la nuit, la nouveauté de la situation nous retint, Conseil et moi, à la vitre du salon. La mer s'illuminait sous l'irradiation électrique du fanal. Mais elle était déserte. Les poissons ne séjournaient pas dans les eaux prisonnières. ils ne trouvaient là qu'un passage pour aller de l'océan Antarctique à la mer libre du pôle. Notre marche était rapide. On la sentait telle aux tressaillements de la longue coque d'acier.

Vers deux heures du matin, j'allai prendre quelques heures de repos. Conseil m'imita. En traversant les coursives, je ne rencontrai point le capitaine Nemo. Je supposai qu'il se tenait dans la cage du timonier.

Le lendemain 19 mars, à cinq heures du matin, je repris mon poste dans le salon. Le loch électrique m'indiqua que la vitesse du *Nautilus* avait été modérée. Il remontait alors vers la surface, mais prudemment, en vidant lentement ses réservoirs.

Mon cœur battait. Allions-nous émerger et retrouver l'atmosphère libre du pôle ?

Non. Un choc m'apprit que le *Nautilus* avait heurté la surface inférieure de la banquise, très épaisse encore, à en juger par la matité du bruit. En effet, nous avions « touché » pour employer l'expression marine, mais en sens inverse et par mille pieds de profondeur. Ce qui donnait deux mille pieds de glace au-dessus de nous dont mille émergeaient. La banquise présentait alors une hauteur supérieure à celle que nous avions relevée sur ses bords. Circonstance peu rassurante.

Pendant cette journée, le *Nautilus* recommença plusieurs fois cette même expérience, et toujours il vint se heurter contre la muraille qui plafonnait au-dessus de lui. A de certains instants, il la rencontra par neuf cents mètres, ce qui accusait douze cents mètres d'épaisseur dont deux cents mètres s'élevaient au-dessus de la surface de l'océan. C'était le double de sa hauteur au moment où le *Nautilus* s'était enfoncé sous les flots.

Je notai soigneusement ces diverses profondeurs, et j'obtins ainsi le profil sous-marin de cette chaîne qui se développait sous les eaux.

Le soir, aucun changement n'était survenu dans notre situation. Toujours la glace entre quatre cents et cinq cents mètres de profondeur. Diminution évidente, mais quelle épaisseur encore entre nous et la surface de l'océan !

Il était huit heures alors. Depuis quatre heures déjà, l'air aurait dû être renouvelé à l'intérieur du *Nautilus*, suivant l'habitude quotidienne du bord. Cependant, je ne souffrais pas trop, bien que le capitaine Nemo n'eût pas encore demandé à ses réservoirs un supplément d'oxygène.

Mon sommeil fut pénible pendant cette nuit. Espoir et crainte m'assiégeaient tout à tour. Je me relevai plusieurs fois.

Les tâtonnements du *Nautilus* continuaient. Vers trois heures du matin, j'observai que la surface inférieure de la banquise se rencontrait seulement par cinquante mètres de

profondeur. Cent cinquante pieds nous séparaient alors de la surface des eaux. La banquise redevenait peu à peu icefield. La montagne se refaisait la plaine.

Mes yeux ne quittaient plus le monomètre. Nous remontions toujours en suivant, par une diagonale, la surface resplendissante qui étincelait sous les rayons électriques. La banquise s'abaissait en dessus et en dessous par des rampes allongées. Elle s'amincissait de mille en mille.

Enfin, à six heures du matin, ce jour mémorable du 19 mars, la porte du salon s'ouvrit. Le capitaine Nemo parut.

« La mer libre » me dit-il.

Jules Verne
Vingt mille lieues sous les mers

Vingt après son expédition sur la Lune, l'équipe du Gun-Club envisage, tout simplement, de faire fondre les glaces au Pôle pour en exploiter les richesses minières, en déplaçant, grâce au recul d'un énorme canon, l'axe du monde.

« Ainsi donc, malgré tant de dévouement et de courage, le quatre-vingt-quatrième parallèle n'a jamais pu être dépassé. Et même, on peut affirmer qu'il ne le sera jamais par les moyens qui ont été employés jusqu'à ce jour, soit par des navires pour atteindre la banquise, soit des radeaux pour franchir les champs de glace. Il n'est pas parmis à l'homme d'affronter de pareils dangers, de supporter de tels abaissements de température. C'est donc par d'autres voies qu'il faut marcher à la conquête du Pôle ! »

On sentit, au frémissement des auditeurs, que là était le vif de la communication, le secret cherché et convoité par tous.

« Or, cette année 189., le gouvernement des Etats-Unis eut l'idée fort inattendue de proposer la mise en adjudication des régions circumpolaires non découvertes ... »

« Et comment vous y prendrez-vous, monsieur ?... demanda le délégué de l'Angleterre.

– Avant dix minutes, vous le saurez, major Donellan, répondit le président Barbicane, et j'ajoute, en m'adressant à tous nos actionnaires : Ayez confiance en nous, puisque les promoteurs de l'affaire sont les mêmes hommes, qui, s'embarquant dans un projectile cylindro-conique ! s'écria Tean Toodrink.

– ... ont osé s'aventurer jusqu'à la Lune...

– Et on voit bien qu'ils en sont revenus ! » ajouta le secrétaire du major Donellan, dont les observations malséantes provoquèrent de violentes protestations.

Mais le président Barbicane, haussant les épaules, reprit d'une voix ferme :

“Ladite société n'aurait eu qu'à exciper tout simplement du droit de premier occupant ...”

« Oui, avant dix minutes, souscripteurs et souscriptrices, vous saurez à quoi vous en tenir. »

Un murmure, fait de Oh ! de Eh ! et de Ah ! prolongés, accueillit cette réponse.

En vérité, il semblait que l'orateur venait de dire au public :

« Avant dix minutes, nous serons au Pôle ! »

Il poursuivit en ces termes :

« Et d'abord, est-ce un continent qui forme la calotte arctique de la Terre ? N'est-ce point une mer, et le commandant Nares n'a-t-il pas eu raison de la nommer “mer Paléocrystique”, c'est-à-dire mer des anciennes glaces ? A cette demande, je répondrai : Nous ne le pensons pas.

– Cela ne peut suffire ! s'écria Eric Baldenak. Il ne s'agit pas de ne “point penser”, il s'agit d'être certain...

– Eh bien ! nous le sommes, répondrai-je à mon bouillant interrupteur. Oui ! C'est un terrain solide, non un bassin liquide, dont la *North Polar Practical Association* a fait l'acquisition, et qui, maintenant, appartient aux États-Unis, sans qu'aucune Puissance européenne y puisse jamais prétendre ? »

Murmure aux bancs des délégués du vieux Monde.

« Bah !... Un trou plein d'eau... une cuvette... que vous n'êtes pas capables de vider ! » s'écria de nouveau Dean Toodrink.

Et il eut l'approbation bruyante de ses collègues.

« Non, monsieur, répondit vivement le président Barbicane. Il y a là un continent, un plateau qui s'élève – peut-être comme le désert de Gobi dans l'Asie Centrale – à trois ou quatre kilomètres au-dessus du niveau de la mer. Et cela a pu être facilement et logiquement déduit des observations faites sur les contrées limitrophes, dont le domaine polaire n'est que le prolongement. Ainsi, pendant leurs explorations, Nordenskjöld. Peary, Maaigaard, ont constaté que le Groenland va toujours en montant dans la direction du nord. A cent soixante kilomètres vers l'intérieur, en partant de l'île Diskö, son altitude est déjà de deux mille trois cents mètres. Or, en tenant compte de ces observations, des différents produits, animaux ou végétaux, trouvés dans leurs carapaces de glaces séculaires, tels que carcasses de mastodontes, défenses et dents d'ivoire, troncs de conifères, on peut affirmer que ce continent fut autrefois une terre fertile, habitée par des

« Quant aux délégués européens, ils étaient tout simplement abasourdis... »

« Le niveau de la couche liquide changera... »

animaux certainement, par des hommes peut-être. Là furent ensevelies les épaisses forêts des époques préhistoriques, qui ont formé les gisements de houille dont nous saurons poursuivre l'exploitation ! Oui ! c'est un continent qui s'étend autour du Pôle, un continent vierge de toute empreinte humaine, et, sur lequel nous irons planter le pavillon des États-Unis d'Amérique ! »

Tonnerre d'applaudissements.

Lorsque les sept derniers roulements se furent éteints dans les lointaines perspectives d'Union Square, on entendit glapir la voix cassante du major Donellan. Il disait :

« Voilà déjà sept minutes d'écoulées sur les dix qui devaient nous suffire pour atteindre le Pôle ?...

– Nous y serons dans trois minutes, » répondit froidement le président Barbicane.

Il reprit :

« Mais si c'est un continent qui constitue notre nouvel immeuble, et si ce continent est surélevé, comme nous avons lieu de le croire, il n'en est pas moins obstrué par les glaces éternelles, recouvert d'icebergs et d'icefields, et dans des conditions où l'exploitation en serait difficile...

– Impossible ! dit Jan Harald, qui souligna cette affirmation d'un grand geste :

Impossible, je le veux bien, répondit Impey Barbicane. Aussi est-ce à vaincre cette impossibilité qu'ont tendu nos efforts. Non seulement, nous n'aurons plus besoin de navires ni de traîneaux pour aller au Pôle ; mais, grâce à nos procédés, la fusion des glaces, anciennes ou nouvelles, s'opérera comme par enchantement, et sans que cela nous coûte ni un dollar de notre capital, ni une minute de notre travail ! »

Ici un silence absolu. On touchait au moment « chicologique », suivant l'élégante expression que murmura Jean Toodrink à l'oreille de Jacques Jansen.

« Messieurs, reprit le président du Gun-Club, Archimède ne demandait qu'un point d'appui pour soulever le monde. Eh bien ! ce point d'appui, nous l'avons trouvé ! Un levier devait suffire au grand géomètre de Syracuse, et ce levier nous le possédons ! Nous sommes donc en mesure de déplacer le Pôle...

– Déplacer le Pôle !... s'écria Eric Baldenak.

– L'amener en Amérique !... » s'écria Jan Harald.

Sans doute, le président Barbicane ne voulait pas encore préciser, car il continua, disant :

« Quant à ce point d'appui...

– Ne le dites pas !... Ne le dites pas ! s'écria un des assistants d'une voix formidable.

– Quant à ce levier...

– Gardez le secret !... Gardez-le !... s'écria la majorité des spectateurs.

– Nous le garderons ! » répondit le président Barbicane.

Et si les délégués européens furent dépités de cette réponse, on peut le croire. Mais, en dépit de leurs réclamations, l'orateur ne voulut rien faire connaître de ses procédés. Il se contenta d'ajouter :

« Pour ce qui est des résultats du travail mécanique – travail sans précédent dans les annales industrielles – que nous allons entreprendre et mener à bonne fin, grâce au concours de vos capitaux, je vais vous en donner

immédiatement communication.

– Écoutez !... Écoutez ! »

Et, si on écouta !

« Tout d'abord, reprit le président Barbicane, l'idée première de notre œuvre revient à l'un de nos plus savants, dévoués et illustres collègues. A lui aussi, la gloire d'avoir établi les calculs qui permettent de faire passer cette idée de la théorie à la pratique, car, si l'exploitation des houillères arctiques n'est qu'un jeu, déplacer le Pôle était un problème que la mécanique supérieure pouvait seule résoudre. Voilà pourquoi nous nous sommes adressés à l'honorable secrétaire du Gun-Club, J.-T. Maston ! »

– Hurrah !... Hip !... hip !... hip !... pour J.-T. Maston ! » cria tout l'auditoire, électrisé par la présence de cet éminent et extraordinaire personnage.

Ah ! combien Mrs Evangélina Scorbitt fut émue des acclamations qui éclatèrent autour du célèbre calculateur, et à quel point son cœur en fut délicieusement remué !

Lui, modestement, se contenta de balancer doucement la tête à droite, puis à gauche, et de saluer du bout de son crocher l'enthousiaste assistance.

« Déjà, chers souscripteurs, reprit le président Barbicane, lors du grand meeting qui célébra l'arrivée du Français Michel Ardan en Amérique, quelques mois avant notre départ pour la Lune... »

Et ce Yankee parlait aussi simplement de ce voyage que s'il eût été de Baltimore à New-York !

« J.-T. Maston s'était écrié : "Inventons des machines, trouvons un point d'appui et redressons l'axe de la terre !" Eh bien, vous tous qui m'écoutez, sachez-le donc ! Les machines sont inventées, le point d'appui est trouvé, et c'est au redressement de l'axe terrestre que nous allons appliquer nos efforts ! »

Ici, quelques minutes d'une stupéfaction qui, en France, se fût traduite par cette expression populaire mais juste : « Elle est raide, celle-là ! »

« Quoi ! ... Vous avez la prétention de redresser l'axe ? s'écria le major Donellan.

– Oui, monsieur, répondit le président Barbicane, ou, plutôt, nous avons le moyen d'en créer un nouveau, sur lequel s'accomplira désormais la rotation diurne...

– Modifier la rotation diurne !... répéta le colonel Karkof, dont les yeux jetaient des éclairs.

– Absolument, et sans toucher à sa durée ! répondit le président Barbicane. Cette opération reportera le Pôle à peu près sur le soixantième-septième parallèle, et, dans ces conditions, la Terre se comportera comme la planète Jupiter, dont l'axe est presque perpendiculaire au plan de son orbitre. Or, ce déplacement de vingt-trois degrés vingt-huit minutes suffira pour que notre immeuble polaire reçoive une quantité de chaleur suffisant à fondre les glaces accumulées depuis des milliers de siècles ! »

L'auditoire était haletant. Personne ne songeait à interrompre l'orateur – pas même à l'applaudir. Tous étaient subjugués par cette idée à la fois si ingénieuse et si simple : modifier l'axe sur lequel se meut le sphéroïde terrestre.

Quant aux délégués européens, ils étaient simplement abasourdis, aplatis, annihilés, et ils restaient bouche close, au dernier degré de l'ahurissement.

Mais les applaudissements éclatèrent à tout rompre, lorsque le président Barbicane acheva son discours par cette conclusion sublime dans sa simplicité :

« Donc, c'est le Soleil lui-même qui se chargera de fondre les icebergs et les banquises, et de rendre facile l'accès du pôle Nord ?

– Ainsi, demanda le major Donellan, puisque l'homme ne peut aller au Pôle, c'est le Pôle qui viendra à lui ?...

– Comme vous dite ! » répliqua le président Barbicane.

Jules Verne,
Sans dessus dessous

L'Antarctique aujourd'hui

Depuis 1959, le statut de l'Antarctique est régi par un traité international qui gèle toutes les revendications nationales et permet aux pays signataires de poursuivre les recherches de l'Année géophysique dans un esprit de coopération.

Traité de l'Antarctique

Les gouvernements de l'Argentine, de l'Australie, de la Belgique, du Chili, de la République française, du Japon, de la Nouvelle-Zélande, de la Norvège, de l'Union sud-africaine, de l'Union des républiques socialistes soviétiques, du Royaume-Uni de Grande-Bretagne, et d'Irlande du Nord et des Etats-Unis d'Amérique.

Reconnaissant qu'il est de l'intérêt de l'humanité tout entière que l'Antarctique soit à jamais réservée aux seules activités pacifiques et ne devienne ni le théâtre ni l'enjeu de différends internationaux ;

Appréciant l'ampleur des progrès réalisés par la science grâce à la coopération internationale en matière de recherche scientifique dans l'Antarctique ;

Persuadés qu'il est conforme aux intérêts de la science et au progrès de l'humanité d'établir une construction solide permettant de poursuivre et de développer cette coopération en la fondant sur la liberté de la recherche scientifique dans l'Antarctique telle qu'elle a été pratiquée pendant l'année géophysique internationale ;

Persuadés qu'un traité réservant l'Antarctique aux seules activités pacifiques et maintenant dans cette région l'harmonie internationale servira les intentions et les principes de la Charte des Nations Unies,

Sont convenus de ce qui suit :

Article 1er

1. Seules les activités pacifiques sont autorisées dans l'Antarctique. Sont interdites, entre autres, toutes mesures de caractère militaire telles que l'établissement de bases, la construction

de fortifications, les manœuvres, ainsi que les essais d'armes de toutes sortes.
2. Le présent Traité ne s'oppose pas à l'emploi de personnel ou de matériel militaire pour la recherche scientifique ou pour toute autre fin pacifique.

Article 2

La liberté de la recherche scientifique dans l'Antarctique et la coopération à cette fin, telles qu'elles ont été pratiquées durant l'année géophysique internationale, se poursuivront conformément aux dispositions du présent Traité.

Article 3

1. En vue de renforcer dans l'Antarctique la coopération internationale en matière de recherches scientifique, comme il est prévu à l'article 2 du présent Traité, les Parties contractantes conviennent de procéder, dans toute la mesure du possible :
a. A l'échange de renseignements relatifs aux programmes scientifiques dans l'Antarctique, afin d'assurer au maximum l'économie des moyens et le rendement des opérations ;
b. A des échanges de personnel scientifique entre expéditions et stations dans cette région ;
c. A l'échange des observations et des résultats scientifiques obtenus dans l'Antarctique qui seront rendus librement disponibles.
2. Dans l'application de ces dispositions, la coopération dans les relations de travail avec les institutions spécialisées des Nations Unies et les autres organisations internationales pour lesquelles l'Antarctique offre un intérêt scientifique ou technique, sera encouragée par tous les moyens.

Article 4

1. Aucune disposition du présent Traité ne peut être interprétée :
a. Comme constituant, de la part d'aucune des Parties contractantes, une renonciation à ses droits de souveraineté territoriale, ou aux revendications territoriales, précédemment affirmés par elle dans l'Antarctique ;
b. Comme un abandon total ou partiel, de la part d'aucune des Parties contractantes, d'une base de revendication de souveraineté territoriale dans l'Antarctique, qui pourrait résulter de ses propres activités ou de celles de ses ressortissants dans l'Antarctique, ou de toute autre cause ;
c. Comme portant atteinte à la position de chaque Partie contractante en ce qui concerne la reconnaissance ou la non-reconnaissance par cette Partie, du droit de souveraineté, d'une revendication ou d'une base de revendication de souveraineté de tout autre État, dans l'Antarctique.
2. Aucun acte ou activité intervenant pendant la durée du présent Traité ne constituera une base permettant de faire valoir, de soutenir ou de contester une revendication de souveraineté territoriale dans l'Antarctique, ni ne créera des droits de souveraineté dans cette région. Aucune revendication nouvelle, ni aucune extension d'une revendication de souveraineté territoriale précédemment affirmée, ne devra être présentée pendant la durée du présent Traité.

Article 5

1. Toute explosion nucléaire dans l'Antarctique est interdite, ainsi que l'élimination dans cette région de déchets radio actifs.

2. Au cas où seraient conclus des accords internationaux auxquels participeraient *toutes* les Parties contractantes dont les représentants sont habilités à participer aux réunions prévues à l'article 9, concernant l'utilisation de l'énergie nucléaire y compris les explosions nucléaires et l'élimination de déchets radio-actifs, les règles établies par de tels accords seront appliquées dans l'Antarctique.

Article 6

Les dispositions du présent Traité s'appliquent à la région située au Sud du 60e degré de latitude Sud, y compris toutes les plates-formes glaciaires ; mais rien dans le présent Traité ne pourra porter préjudice ou porter atteinte en aucune façon aux droits ou à l'exercice des droits reconnus à tout État par le droit international en ce qui concerne les parties de haute mer se trouvant dans la région ainsi délimitée. (...)
(Suivent sept articles fixant les conditions d'exécution du Traité.)

Article 14

Le présent Traité, rédigé dans les langues anglaise, française, russe et espagnole, chaque version faisant également foi, sera déposé aux archives du Gouvernement des Etats-Unis d'Amérique qui en transmettra des copies certifiées conformes aux gouvernements des Etats signataires ou adhérents.
En foi de quoi les plénipotentiaires soussignés, dûment autorisés, ont apposé leur signature au présent Traité.
Fait à Washington, le 1er décembre 1959.

Aujourd'hui (octobre 1987) le traité est signé par 37 pays.

Organisation des recherches antarctiques actuelle

Pour exécuter tous ces travaux, près de mille personnes hivernent sur le continent, dont la population augmente sensiblement pendant les campagnes d'été. D'ailleurs de nouveaux pays comme les deux Allemagne, l'Inde, la Pologne et la Chine ont établi des stations de recherche, quelquefois très proches les unes des autres. Sur l'île du Roi-George dans les Shetlands, il existe sept stations de sept pays différents. Dans l'esprit de l'année géophysique et dans un souci d'efficacité il est nécessaire d'harmoniser ces programmes ; c'est l'objet d'un comité international, le SCAR (Scientific Committe for Antarctic Research) formé actuellement des représentants de 18 pays, l'Inde et la Chine étant les membres les plus récents. Ce comité n'a pas de pouvoir de décision mais il joue un rôle important dans des domaines divers qui dépassent largement la seule recherche scientifique. Par deux fois le comité a élu un président français : Georges Laclavère, ancien directeur de l'Institut géographique national de 1958 à 1963 et, tout récemment, en juin 1986, le glaciologue Claude Lorius.

Aux Etats-Unis, la division des programmes polaires de la NSF (National Science Foundation) maintient quatre stations, deux dans la péninsule antarctique, celle du pôle Sud et la base principale de McMurdo où la population atteint 800 personnes en été. Pour les transports maritimes, un brise-glace assure le convoyage annuel d'un cargo et d'un pétrolier. Le personnel et une partie des équipements arrive par avion de Christchurch, en Nouvelle-Zélande. Au début du printemps austral, des

La base française de Dumont d'Urville sur l'archipel de Pointe-Géologie.

Américains utilisent des avions gros porteurs à roues, les C141 et des Hercules à skis avec une piste à McMurdo sur la barrière de Ross et une autre sur la glace de mer. Fin novembre, l'état de la glace interdit l'atterrissage d'avions à roues et seuls les Hercules continuent à voler jusqu'en février.

En URSS, l'Institut arctique et antarctique de Léningrad fait fonctionner sept bases dont la principale, Molodezhnaya, compte à elle seule jusqu'à 150 hivernants. Une flotte composée de deux pétroliers, un ou deux navires de recherche et cinq cargos, tous conçus pour la navigation dans les glaces, se retrouvent chaque été dans les eaux antarctiques. Pour le personnel et les équipements, les Russes ont ouvert depuis quelques années une liaison aérienne entre Léningrad et Molodezhnaya via Aden et Maputo en Mozambique.

En France, depuis quelques années, les opérations antarctiques relèvent du ministère des Dom-Tom et non de celui de la Recherche comme en Allemagne, en Grande-Bretagne ou aux Etats-Unis. Les TAAF (Terres australes et antarctiques françaises) gèrent donc plusieurs stations dans les îles

L'entrée de la base américaine Amundsen-Scott, au pôle géographique Sud.

subantarctiques, en particulier aux Kerguelen, l'observatoire Dumont d'Urville en Terre Adélie, et les participations françaises aux projets antarctiques multinationaux. En fait les TAAF délèguent la direction des opérations aux Expéditions polaires françaises. Les transports maritimes sur la Terre Adélie sont assurés par un cargo polaire scandinave en attendant que la France décide de construire son propre navire polaire. Il n'existe pas actuellement de transports aériens qui permettraient pourtant d'acheminer le personnel depuis Hobart et de participer à des projets à l'intérieur du continent sans dépendre de la logistique américaine. Une piste d'avion de 1100 mètres a été commencée près de la base Dumont d'Urville et des missions américaines ont prouvé que l'on pouvait atterrir sur le névé à 20 km au sud avec des avions gros porteur Hercules équipés de skis. Pour satisfaire toutes les conditions et en particulier celles de sécurité dans ce pays du blizzard, il semble qu'il faudrait disposer de quadrimoteurs STOL (atterrissage et décollage courts) opérant indifféremment sur roues ou sur skis.

En Grande-Bretagne, le British Antarctic Survey a, depuis 1967, remplacé le FIDS ; il organise recherches et opérations sous la tutelle du ministère de l'Environnement. Les Britanniques ont trois observatoires de géophysique sur le continent et deux stations de biologie dans les îles subantarctiques. Ils disposent de deux navires polaires de moyenne puissance, le *Bransfield* et le *John Biscoe,* ainsi que de trois bimoteurs Otter pour les liaisons entre stations.

L'Allemagne de l'Ouest représente un nouvel arrivant de poids : en 1980, le ministère de la Recherche et de la Technologie a créé à Bremershaven l'Institut Alfred-Wegener consacré aux recherches dans l'Arctique et l'Antarctique. Un an plus tard, l'institut ouvre la station G.-von-Neumayer sur le continent antarctique à l'entrée orientale de la mer de Weddell et, en 1982, l'Allemagne met en service un magnifique navire polaire, le *Polarstern,* 11 000 tonnes, propulsé par des moteurs de 20 000 ch, ainsi que des cabines et des laboratoires pour accueillir une centaine de chercheurs. D'importants travaux océanographiques avec la collaboration de chercheurs étrangers sont actuellement entrepris en mer de Weddell sous la direction du professeur Hempel. Une équipe allemande devenue maintenant multinationale étudie la glaciologie de la barrière de Filchner-Ronne au fond de la mer de Weddell. Comme la barrière de Ross, il s'agit d'une étendue de glace presque aussi grande que la France, d'une épaisseur de plusieurs centaines de mètres et qui joue un rôle déterminant dans l'existence ou l'éventuelle disparition de tout l'indlandsis antarctique occidental.

Les Japonais, eux, sont arrivés dans l'Antarctique avec l'Année géophysique en construisant la station Syowa, actuellement située à 120 nautiques à l'ouest de Molodezhnaya, puis, quelques années après, la station Mizuho à 2230 m d'altitude. En 1965, ils ont mis en service un navire polaire de 5 000 tonnes, le *Fuji,* capable de ravitailler leur station située dans un secteur difficile d'accès, et d'effectuer des recherches océanographiques.

En 1982, les Japonais ont remplacé le *Fuji* par le *Shirase,* un navire polaire aussi puissant que les brise-glace américains actuellement en service. Le *Shirase* déplace 12 000 tonnes et possède des moteurs de 30 000 ch. Sur le continent, les Japonais ont réussi en 1968-69 un raid exceptionnellement difficile, de la base de Syowa jusqu'au pôle Sud et retour, une distance de 5 200 km sur une partie très mal connue du continent où les altitudes atteignent 3700 mètres. Pour réussir ce raid, il a fallu concevoir et construire des engins chenillés spéciaux dans lesquels géophysiciens et glaciologues ont pu vivre et travailler pendant les 141 jours du raid.

Au total, en 1986, 18 pays entretiennent 38 stations au sud du 60e parallèle, mais quelquefois avec une proximité regrettable : sur l'île du Roi-George, au sud du cap Horn, six pays ont installé leur base à quelques dizaines de kilomètres les unes des autres. Par contre, à l'intérieur du continent, grand comme l'Europe et les Etats-Unis réunis, il n'existe actuellement que deux stations américaines, une russe et une japonaise ; d'où l'intérêt pour un observatoire français ou européen à 1200 km dans le sud-est de la base Dumont d'Urville.

En dehors de ces expéditions gouvernementales et consacrées à la recherche, il n'existe aucune activité industrielle, sauf naturellement, dans l'océan Antarctique, la pêche au poisson ou au krill, une crevette dont il existe d'importantes réserves ; la chasse à la baleine est contingentée, après les excès des cent dernières années.

Bertrand Imbert

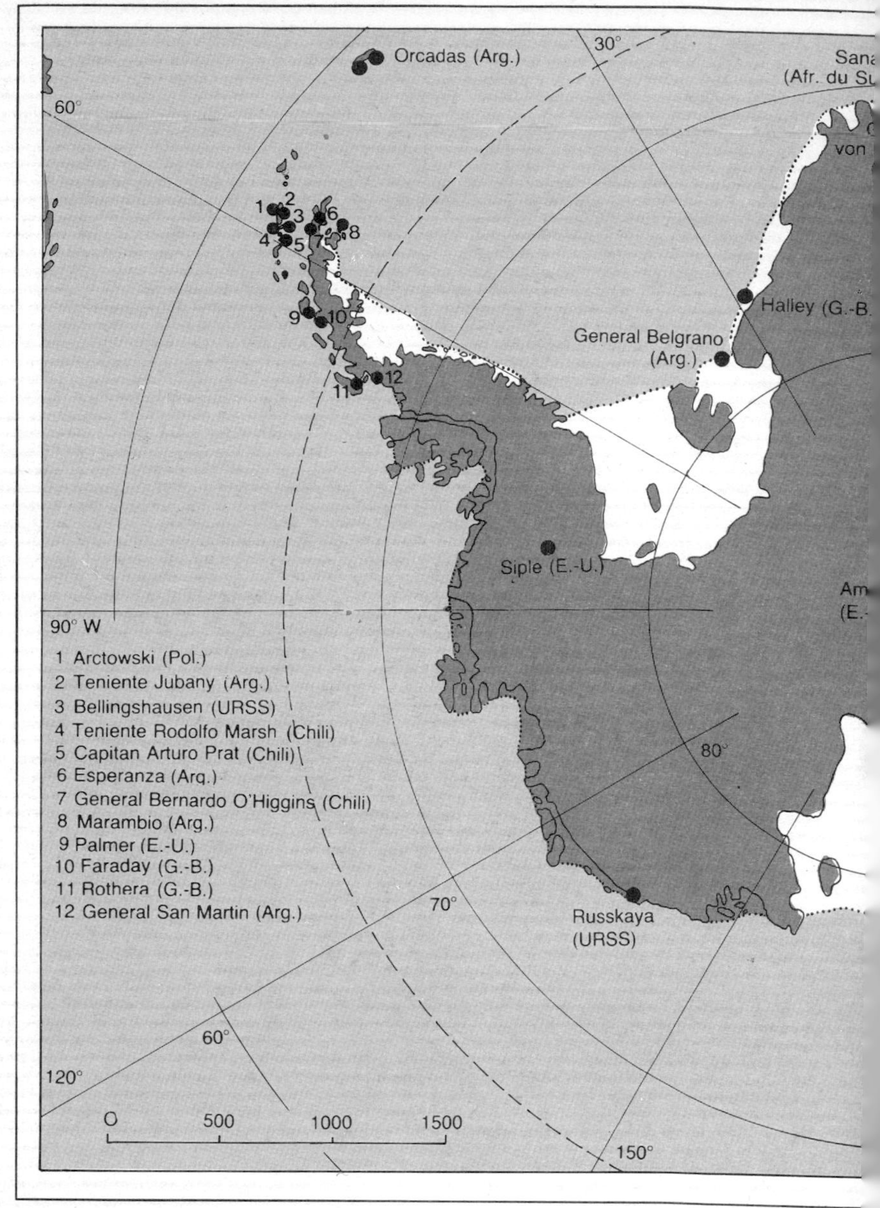
Orcadas (Arg.)
30°
60°
Halley (G.-B.
General Belgrano
(Arg.)
Siple (E.-U.)
90° W
80°
70°
60°
120°
150°
Russkaya
(URSS)
1 Arctowski (Pol.)
2 Teniente Jubany (Arg.)
3 Bellingshausen (URSS)
4 Teniente Rodolfo Marsh (Chili)
5 Capitan Arturo Prat (Chili)
6 Esperanza (Arg.)
7 General Bernardo O'Higgins (Chili)
8 Marambio (Arg.)
9 Palmer (E.-U.)
10 Faraday (G.-B.)
11 Rothera (G.-B.)
12 General San Martin (Arg.)
0
500
1000
1500

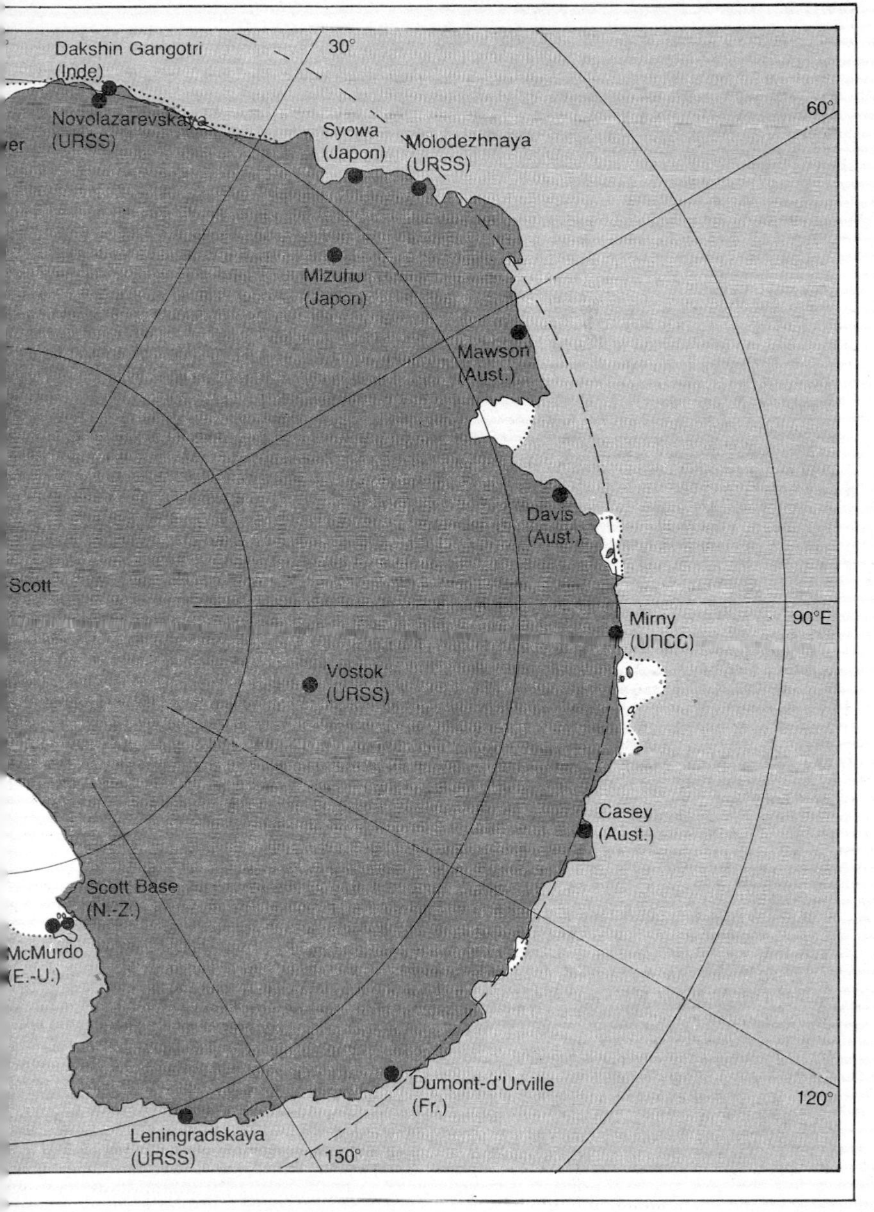

Dakshin Gangotri
(Inde)
Novolazarevskaya
(URSS)
30°
60°
Syowa
(Japon)
Molodezhnaya
(URSS)
Mizuho
(Japon)
Mawson
(Aust.)
Davis
(Aust.)
Scott
Mirny
(URSS)
90°E
Vostok
(URSS)
Casey
(Aust.)
Scott Base
(N.-Z.)
McMurdo
(E.-U.)
Dumont-d'Urville
(Fr.)
120°
Leningradskaya
(URSS)
150°

Les glaces de l'Antarctique

Jusqu'en 1955, on ignorait presque tout de la calotte glaciaire antarctique. On sait désormais que ce volume de glace représente environ 30 millions de km³, soit 90 % de l'eau douce présente sur la planète. Ces recherches en en glaciologie sont maintenant le fait de projets multinationaux.

L'analyse de la glace prélevée en profondeur et des impuretés qu'elle renferme permet de décrire l'évolution de notre environnement atmosphérique.

C'est ainsi que l'on trouve dans les couches déposées au cours du dernier siècle aussi bien les traces des éruptions volcaniques que les retombées d'événements cosmiques ou des explosions thermonucléaires. Le caractère global de la contamination liée aux activités de l'homme est aussi mis en évidence à partir des teneurs en gaz carbonique de l'atmosphère pré-industrielle conservée dans la glace.

Des carottages plus profonds permettent de déterminer différents stades climatiques ; les températures étaient sensiblement plus basses durant l'âge glaciaire qui a culminé il y a environ 18 000 ans par comparaison avec le climat plus chaud que la terre connaît depuis environ 10 000 ans. Cet âge glaciaire est caractérisé par des modifications drastiques de notre environnement : teneurs en gaz carbonique sensiblement plus faibles, accroissement majeur de la charge en aérosols. Par contraste la calotte glaciaire est restée relativement stable durant la déglaciation.

Dynamique de la glace

Sous l'action de la gravité, les couches de neige successivement déposées s'enfoncent au sein de la calotte où elles se transforment en glace, en même temps qu'elles s'amincissent en s'écoulant vers la côte. Les précipi-

Le français Claude Lorius étudie un forage à la station soviétique de Vostok, dans le cadre du programme international de glaciologie antarctique...

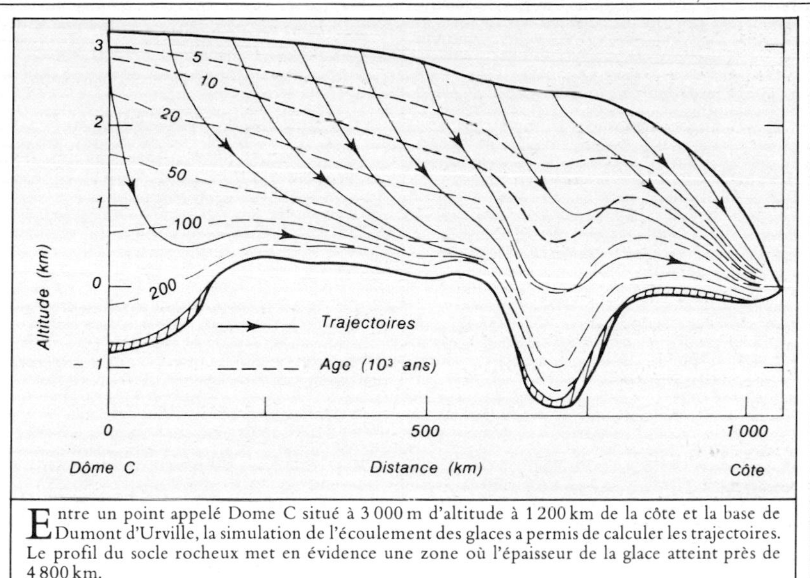

Entre un point appelé Dome C situé à 3 000 m d'altitude à 1 200 km de la côte et la base de Dumont d'Urville, la simulation de l'écoulement des glaces a permis de calculer les trajectoires. Le profil du socle rocheux met en évidence une zone où l'épaisseur de la glace atteint près de 4 800 km.

tations sont aussi progressivement évacuées à la mer. Au cours de l'AGI (Année géophysique internationale), les déplacements des glaciers côtiers étaient déterminés par géodésie à partir de repères rocheux émergés. La mise en orbite de satellites géodésiques a permis de mesurer (par effet Doppler) les vitesses jusque dans les régions centrales de l'Antarctique. Elles sont là très faibles (de l'ordre de 1 m par an) et augmentent progressivement pour atteindre en moyenne 100 m par an vers les régions périphériques. Les glaciers les plus actifs et les *shelfs* avancent jusqu'à 1 à 2 km par an. La quantité de glace évacuée principalement sous forme d'icebergs serait d'environ 2 300 km^3 par an, ce qui représente une quantité énorme (près de 500 tonnes pour chacun des 4 milliards d'hommes). Près de la moitié de cette glace provient de trois shelfs (Amery, Filchner et Ross).

Les données disponibles ne permettent pas pour l'instant de mettre en évidence un éventuel déséquilibre du bilan de masse de l'Antarctique mais la connaissance du profil de la surface de la calotte, du socle rocheux et des quantités de neige accumulées permet de modéliser l'écoulement de l'indlansis.

La mémoire de l'environnement atmosphérique

C'est à partir de l'AGI que s'est développée la collecte d'échantillons en profondeur ; il s'agissait bien sûr d'étudier la transformation de la neige en névé puis en glace (celle-ci se rencontre à quelques dizaines de mètres de profondeur dans les régions centrales, pour une densité voisine de

0,82) et les propriétés plastiques de ce matériau. Le développement des techniques de forage et des moyens sophistiqués d'analyse en laboratoire ont permis de concrétiser l'idée et la composition de la glace et des impuretés qu'elle renferme constituaient des archives uniques de notre environnement atmosphérique. Ce type d'études est d'un intérêt direct pour des problèmes très actuels : l'évolution du climat et l'impact des activités humaines sur la composition de notre atmosphère.

Durant les derniers 1,7 million d'années le climat de la Terre a oscillé entre des stades glaciaires (caractérisés notamment par le développement de gigantesques calottes sur les continents de l'hémisphère nord et un abaissement du niveau des mers de plus de 100 m correspondant à un stock supplémentaire de 45 millions de km^3 de glace) et des épisodes chauds, de durée beaucoup plus courte, tel que celui que nous connaissons actuellement. La composition de notre atmosphère est perturbée de façon significative, en particulier pour le gaz carbonique, par les rejets dans l'atmosphère liés à l'activité humaine.

L'atmosphère est maintenant sous surveillance mais les observations ne remontent pas, dans les meilleurs cas, au-delà de vingt années ; seules les archives glaciaires permettent à la fois la reconstruction du climat et de la composition chimique de l'atmosphère à des échelles de temps qui donnent une perspective suffisante et une idée des mécanismes et facteurs importants. Les données obtenues, aussi bien depuis le début de l'ère industrielle que pour des conditions climatiques très différentes (par exemple pour le dernier âge glaciaire), sont de plus nécessaires pour valider les modèles climatiques qui peuvent représenter, à terme, une possibilité de prédiction.

Les techniques de prélèvement

S'il est aisé d'échantillonner les couches déposées au cours des dernières décennies (à partir de puits creusés jusqu'à une dizaine de mètres), il faut disposer de systèmes de forage de plus en plus lourds pour atteindre des profondeurs croissantes. Jusqu'à une centaine de mètres (ce qui peut représenter des séries de l'ordre de 1 000 ans), la récupération des carottes s'effectue par passes successives à l'aide d'un carottier rotatif équipé de couteaux ou d'un tube muni à son extrémité d'une résistance chauffante qui permet de fondre la glace. La collecte des carottes devient plus laborieuse avec la profondeur ; outre la difficulté d'une récupération totale des copeaux ou de l'eau de fusion (nécessaire pour éviter le coincement du carottier), la déformation de la glace conduit à la fermeture du trou. La pénétration devient alors impossible et, à moins de 1 000 m de profondeur (c'est là que se trouve la glace déposée durant le dernier âge glaciaire, il y a environ 20 000 ans), il faut utiliser un fluide de remplissage, ce qui conduit à un équipement de complexité croissante. Typiquement il faut alors transporter plusieurs dizaines de tonnes pour réaliser un tel carottage. Toutes ces difficultés expliquent que seuls trois carottages profonds aient été réalisés en Antarctique (à la station américaine de Byrd, par les Soviétiques à Vostok et par une équipe française au Dôme C).

Claude Lorius,
Revue du Palais de la Découverte

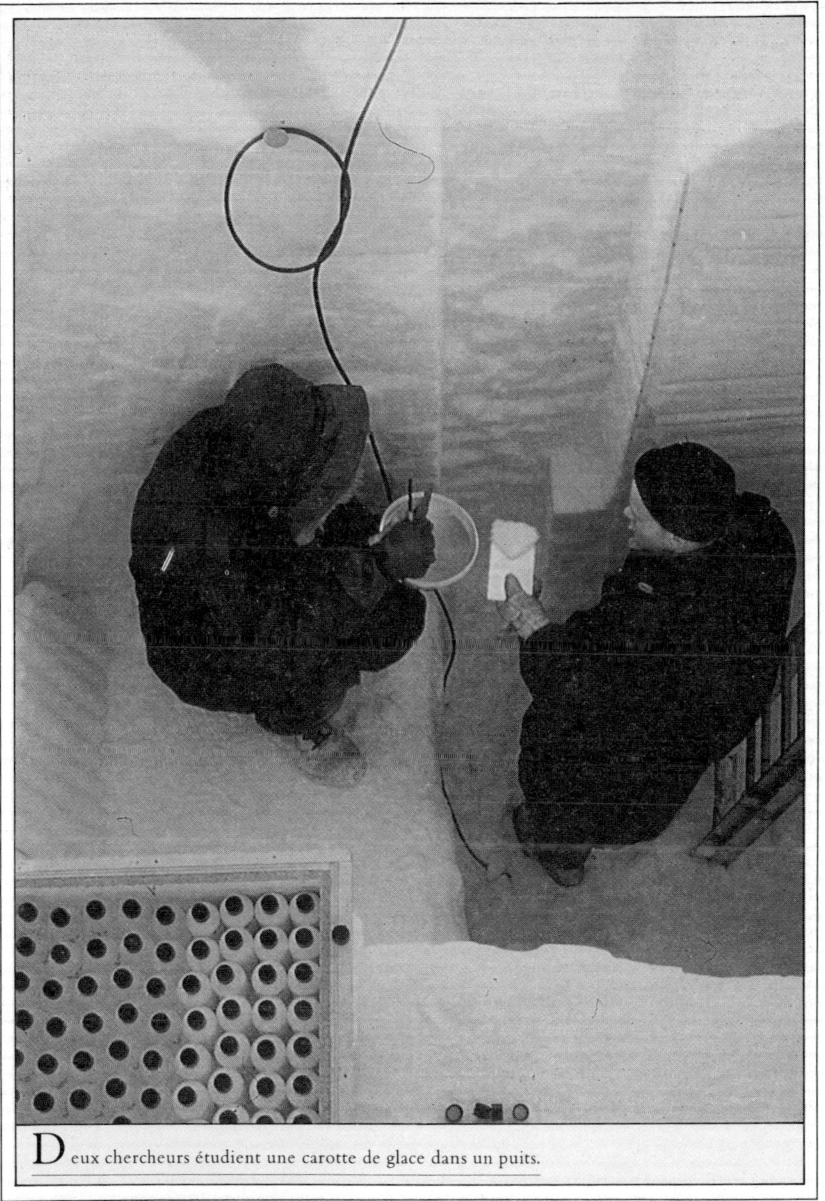

Deux chercheurs étudient une carotte de glace dans un puits.

La route maritime du Nord

Tandis que le passage du nord-ouest reste largement inutilisé, le passage du nord-est, rebaptisé par les Soviétiques « Route maritime du Nord » joue maintenant un rôle économique et stratégique en raison des investissements importants réalisés.

Une flotte de cargos polaires et de brise-glace la plus importante du monde, des ports et des aérodromes, des stations météo : la route maritime du Nord est parfaitement équipée et contrôlée par des milliers de spécialistes.

Une date clef : 1932. Cette année-là, le *Sibiriakov* effectue le passage en deux mois ; il reçoit les félicitations de Joseph Staline qui fait adopter trois mois plus tard le décret suivant :

« 1. Au sein du Conseil des Commissaires du peuple sera organisée une administration centrale de la Route Maritime du Nord. Cette administration sera responsable du développement de la Route Maritime de la Mer Blanche au détroit de Béring, y compris de son infrastructure, de son entretien et des acquisitions nécessaires pour assurer la sécurité de la navigation.

« 2. Toutes les stations météo et radio de la côte et des îles de l'Arctique sont transférées à l'administration de la route. »

A la tête de cette organisation est nommé Otto Schmidt qui vient de réussir la traversée du *Sibiriakov* et voit les années suivantes ses pouvoirs s'étendre en particulier sur les ports arctiques et le domaine géologique et minier.

Le trafic maritime se développe d'abord à l'ouest, en mer de Kara, à partir des fleuves Ob et Ienissei, mais

Cette route pourrait compléter la voie ferrée du transsibérien et accueillir le frêt international sur des cargos spéciaux escortés par des brise-glace soviétiques.

aussi dans le secteur oriental à partir des fleuves Lena et Kolyma jusqu'au détroit de Béring. De 100 à 300 000 tonnes avant la guerre de 1940, on l'estime aujourd'hui à 4 millions de tonnes.

En août 1977, les soviétiques ont étonné le monde en annonçant que l'*Arktika* avait atteint le pôle Nord, premier navire de surface à pouvoir le faire, réalisant son voyage aller-retour à la vitesse moyenne de 11,5 nœuds. Le brise-glace *Sibir* escortait un cargo en passant au nord de la Nouvelle-Zemble et des îles de la Nouvelle-Sibérie. Mais, si ces puissants brise-glace nucléaires passent presque partout, beaucoup de navires, en particulier les cargos, rencontrent des difficultés dans un secteur de glaces de pression d'autant que la prévision d'état des glaces reste encore assez aléatoire. Ainsi, en octobre 1983, à la fin de la saison, 51 navires se sont trouvés immobilisés dans le pack au nord de Pevek, c'est-à-dire à quelque 500 nautiques dans l'Ouest du détroit de Béring. Trois brise-glace nucléaires dépêchés sur les lieux travailleront pendant un mois et tous les navires seront libérés sauf un, qui coula ; 30 navires furent endommagés. Un programme de mise en chantier de navires plus puissants et plus modernes est en cours et permettra, sans doute un jour, d'envisager une route encore plus courte, la transarctique, 700 nautiques plus courte que le passage côtier. Cette route pourrait accueillir le frêt international sur des cargos spéciaux escortés par des brise-glace soviétiques.

D'après Terence Armstrong

Les brise-glace

Pas de transports arctiques, maritimes ou même fluviaux, sans brise-glace ni cargos polaires. L'Union Soviétique possède la plus belle flotte du monde : 18 brise-glace de plus de 10 000 ch et environ 300 cargos polaires. Viennent ensuite les Etats-Unis et le Canada.

Lancé en 1898, le *Yermak*, le premier brise-glace russe (en bas, à gauche), avait une puissance de 10 000 ch. Il est resté en service jusqu'en 1963.

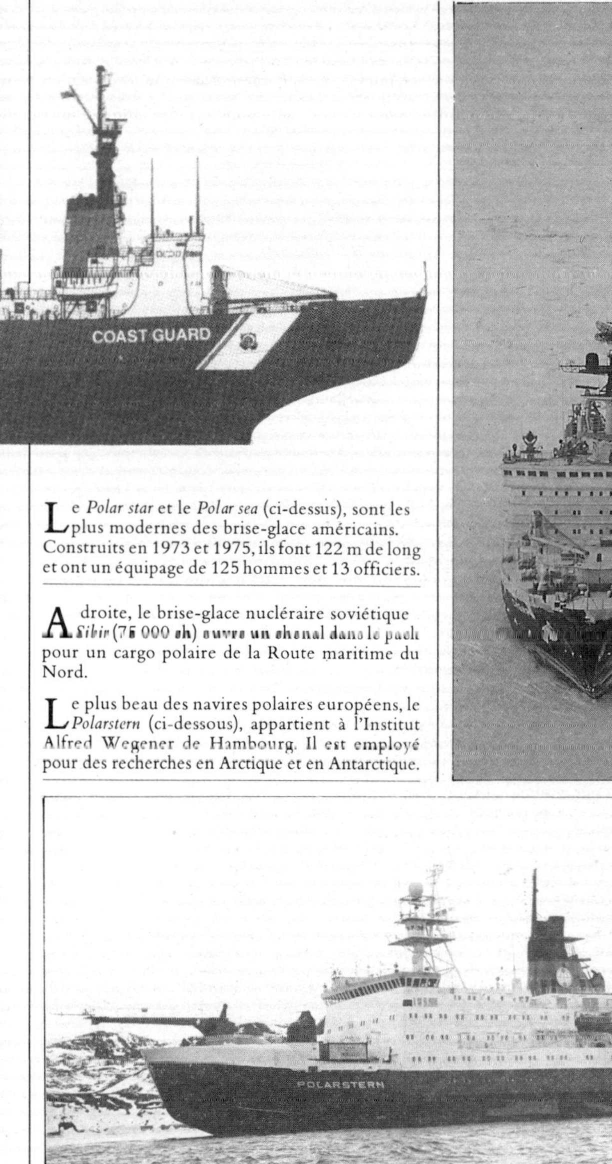

Le *Polar star* et le *Polar sea* (ci-dessus), sont les plus modernes des brise-glace américains. Construits en 1973 et 1975, ils font 122 m de long et ont un équipage de 125 hommes et 13 officiers.

A droite, le brise-glace nucléraire soviétique *Sibir* (75 000 ch) ouvre un chenal dans le pack pour un cargo polaire de la Route maritime du Nord.

Le plus beau des navires polaires européens, le *Polarstern* (ci-dessous), appartient à l'Institut Alfred Wegener de Hambourg. Il est employé pour des recherches en Arctique et en Antarctique.

La faune des régions arctiques

Sur la glace, dans les eaux, comme dans la toundra, toutes les espèces animales sont représentées : ours, phoques, narvals, grands et petits mammifères comme le bœuf musqué et le renard, faucons, hiboux et perdrix des neiges...

Le bœuf musqué, qui vit dans la toundra, est une espèce gravement menacée.

L'ours polaire, que l'on ne trouve que dans le Nord, est le roi des glaces : avec ses 800 kg, c'est un carnivore dont la victime favorite est le phoque. Les Esquimaux le chassent pour sa fourrure et sa graisse.

Le morse vit en groupe dans la région du nord-Groenland, en mer de Béring et dans l'océan Arctique. Ses défenses lui servent à fouiller les fonds marins pour y trouver sa nourriture et à se mouvoir sur la glace. Il peut peser jusqu'à 1 500 kg.

Le phoque du Groenland est constamment chassé, soit par les Esquimaux, soit par les grandes nations du Nord, pour sa graisse et sa peau.

Les habitants du pôle Sud

Malgré un environnement hostile, près de soixante espèces d'animaux vivent en Antarctique. Les plus étranges, les plus mal connus aussi, sont les manchots, ces oiseaux qui ne volent pas mais nagent à près de 50 km/h, et dont certains dépassent 90 cm de haut.

Il existe sur le continent antarctique deux espèces de manchots : les Adélie (ci-dessous) et les Empereurs (à droite).

Chez le manchot empereur, la ponte se produit au plus froid de l'hiver. Ce sont les mâles qui couvent, en maintenant l'œuf au chaud dans un repli de leur abdomen. Le poussin passera ses premières semaines près de l'un de ses parents, toujours protégé du froid par leur épais duvet

Les manchots empereurs vivent en immenses colonies, les rookeries. La plus importante compte 50 000 individus. Cet instinct collectif se manifeste aussi dans l'apprentissage des petits, qui sont regroupés dans de véritables « jardins d'enfants ».

Publicité Polaire

Dans toutes les expéditions, il faut compléter des budgets insuffisants par des dons de sociétés privées. L'attrait et l'efficacité de leurs produits dans les régions polaires servira à convaincre les consommateurs des régions tempérées !

Les marins ont introduit la tradition du punch martiniquais (ci-dessus).

Un avion largue des équipements à basse altitude au-dessus du Groenland (ci-dessous).

Michel Barré fait une démonstration...

Raoul Desprez, cuisinier de l'expédition, sait aussi utiliser les ressources locales.

François Tabuteau règle l'astrolabe utilisé pour les points astronomiques de précision.

Transantarctica

En 1990, une expédition internationale va traverser le continent antarctique pour célébrer le 30e anniversaire du Traité antarctique, exemple unique de paix et de fraternité.

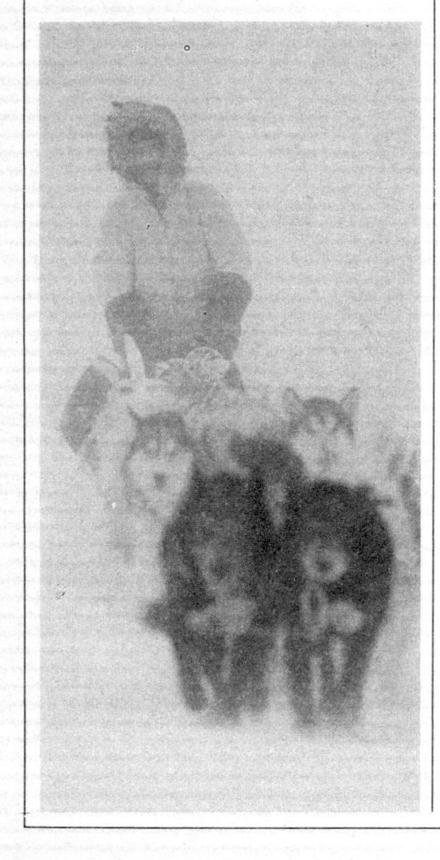

Transantarctica réunira six hommes de nationalités différentes sur un continent sans frontière.

Trois d'entre eux ont la maîtrise du projet :

– le Français Jean-Louis Étienne, 41 ans, qui a atteint le pôle Nord, seul, en tirant son traîneau le 11 mai 1986. Il est responsable des relations internationales et du programme maritime.

– L'Américain Will Steger, 42 ans, chef de l'expédition américaine qui a atteint le pôle Nord en autonomie complète le 1er mai 1986. Il a la responsabilité de la traversée avec les attelages de chiens.

– Le Soviétique Victor Boyarsky, 37 ans, membre de l'Institut des recherches arctiques et antarctiques de Léningrad. Il a déjà participé à quatre campagnes en Antarctique. Il est responsable de la coordination du programme scientifique.

L'équipe est complétée par le maître chien japonais Keizo Funatsu et l'expert antarctique anglais Geoff Somers du British Antarctic Survey.

L'expédition Transantarctica est une expédition moderne, complexe et ambitieuse. Des traîneaux à chiens sur le continent, un voilier polaire dans les mers australes et des télécommunications de pointe avec le monde habité.

Les trois attelages de quatorze chiens chacun que conduiront les six hommes seront ravitaillés régulièrement par avion durant les six mois que durera la traversée.

Les traîneaux seront équipés de balises miniatures mixtes Argos-Sarsat pour la localisation et la détresse, les explorateurs conserveront un contact radio permanent avec le voilier – camp de base.

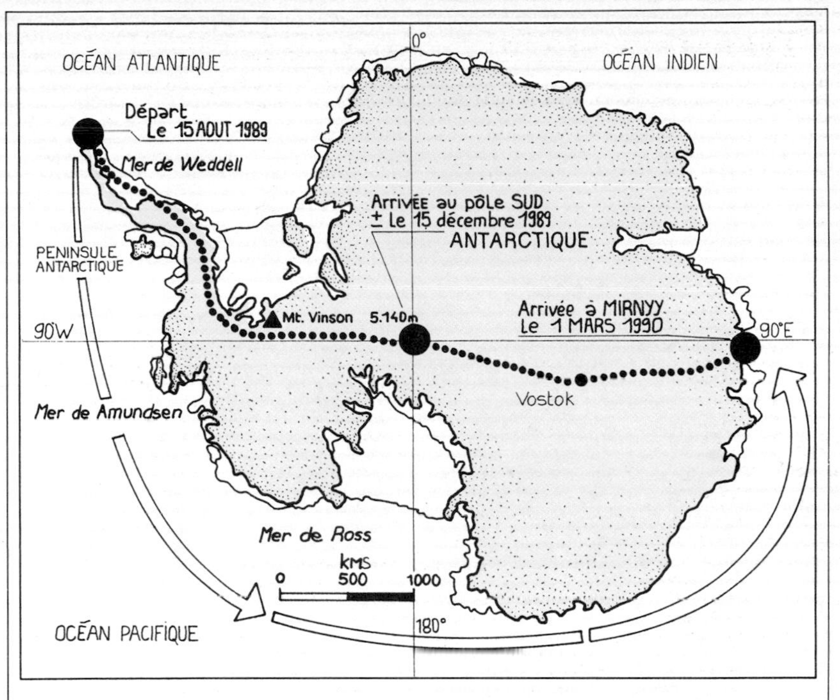

Maillon français de l'expédition internationale, *Antarctica*, le voilier, spécialement dessiné et construit pour résister aux assauts du pack en mouvement, emmènera les hommes et les chiens depuis Duluth (États-Unis), jusqu'à la baie de l'Espérance.

L'*Antarctica*, un bateau à multiples usages

Plate-forme de télécommunications, camp de base itinérant, il assurera la logistique et la coordination des ravitaillements des hommes sur le continent, mais aussi le relais entre ces derniers et le reste de la planète : grâce à un émetteur TV, des millions de spectateurs, dans des dizaines de pays, seront informés en temps réel de la Transantarctica.

Lorsque le pôle Sud sera en vue et le relais assuré par les Soviétiques, le voilier quittera son abri d'hivernage pour rejoindre, de l'autre côté du continent, la base de Mirnyy.

Sur un plan scientifique, des observations médicales essentiellement basées sur la résistance au froid et le comportement humain en milieu hostile ainsi que des mesures atmosphériques, dont le programme est en cours d'études à Léningrad, seront effectuées tout au long de la traversée.

Michel Franco,
in *Tribune médicale*, n° 236.

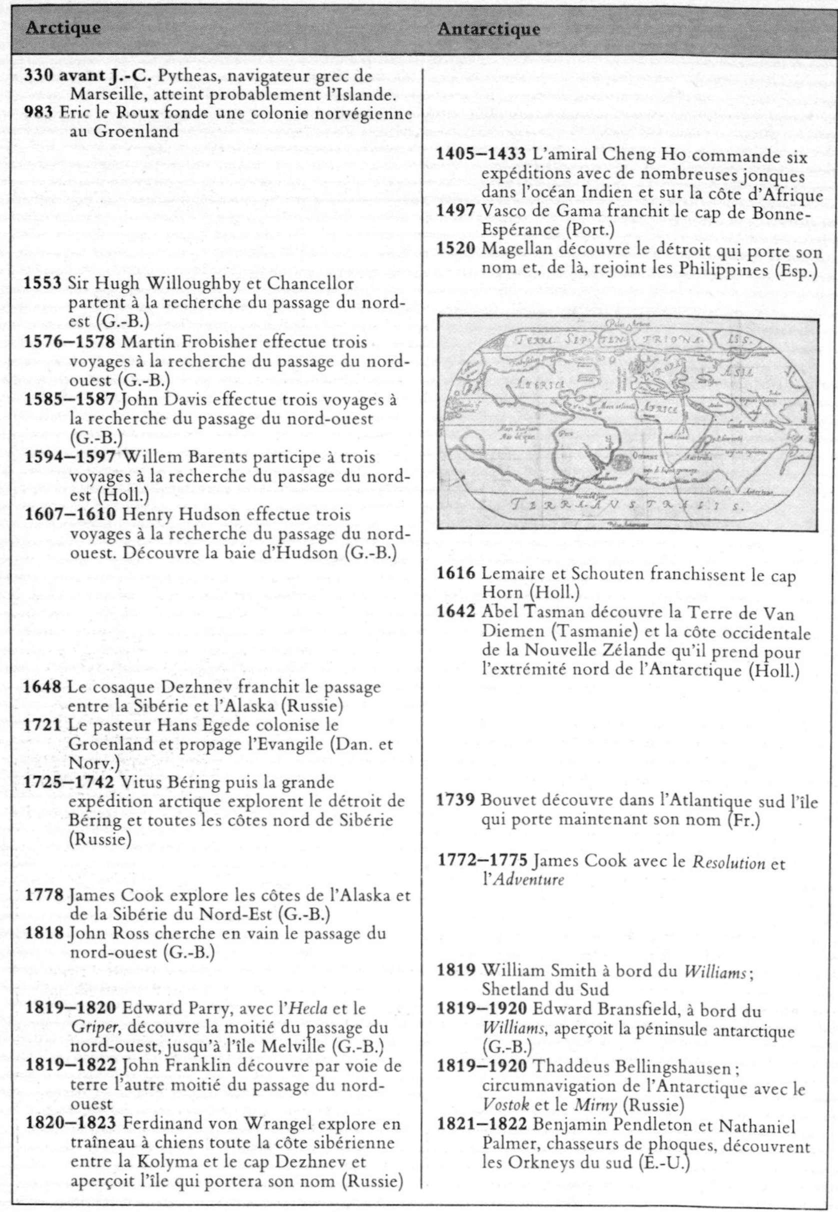

Arctique

330 avant J.-C. Pytheas, navigateur grec de Marseille, atteint probablement l'Islande.

983 Eric le Roux fonde une colonie norvégienne au Groenland

1553 Sir Hugh Willoughby et Chancellor partent à la recherche du passage du nord-est (G.-B.)

1576–1578 Martin Frobisher effectue trois voyages à la recherche du passage du nord-ouest (G.-B.)

1585–1587 John Davis effectue trois voyages à la recherche du passage du nord-ouest (G.-B.)

1594–1597 Willem Barents participe à trois voyages à la recherche du passage du nord-est (Holl.)

1607–1610 Henry Hudson effectue trois voyages à la recherche du passage du nord-ouest. Découvre la baie d'Hudson (G.-B.)

1648 Le cosaque Dezhnev franchit le passage entre la Sibérie et l'Alaska (Russie)

1721 Le pasteur Hans Egede colonise le Groenland et propage l'Evangile (Dan. et Norv.)

1725–1742 Vitus Béring puis la grande expédition arctique explorent le détroit de Béring et toutes les côtes nord de Sibérie (Russie)

1778 James Cook explore les côtes de l'Alaska et de la Sibérie du Nord-Est (G.-B.)

1818 John Ross cherche en vain le passage du nord-ouest (G.-B.)

1819–1820 Edward Parry, avec l'*Hecla* et le *Griper*, découvre la moitié du passage du nord-ouest, jusqu'à l'île Melville (G.-B.)

1819–1822 John Franklin découvre par voie de terre l'autre moitié du passage du nord-ouest

1820–1823 Ferdinand von Wrangel explore en traîneau à chiens toute la côte sibérienne entre la Kolyma et le cap Dezhnev et aperçoit l'île qui portera son nom (Russie)

Antarctique

1405–1433 L'amiral Cheng Ho commande six expéditions avec de nombreuses jonques dans l'océan Indien et sur la côte d'Afrique

1497 Vasco de Gama franchit le cap de Bonne-Espérance (Port.)

1520 Magellan découvre le détroit qui porte son nom et, de là, rejoint les Philippines (Esp.)

1616 Lemaire et Schouten franchissent le cap Horn (Holl.)

1642 Abel Tasman découvre la Terre de Van Diemen (Tasmanie) et la côte occidentale de la Nouvelle Zélande qu'il prend pour l'extrémité nord de l'Antarctique (Holl.)

1739 Bouvet découvre dans l'Atlantique sud l'île qui porte maintenant son nom (Fr.)

1772–1775 James Cook avec le *Resolution* et l'*Adventure*

1819 William Smith à bord du *Williams*; Shetland du Sud

1819–1920 Edward Bransfield, à bord du *Williams*, aperçoit la péninsule antarctique (G.-B.)

1819–1920 Thaddeus Bellingshausen ; circumnavigation de l'Antarctique avec le *Vostok* et le *Mirny* (Russie)

1821–1822 Benjamin Pendleton et Nathaniel Palmer, chasseurs de phoques, découvrent les Orkneys du sud (E.-U.)

Arctique	Antarctique

Arctique

1872–1874 Karl Weyprecht et Julius Payer, avec le *Tegethof,* découvrent la Terre François-Joseph (Aut.)

1875–1876 George Nares avec l'*Alert* et le *Discovery* atteint en raid 83° 20' N et explore la côte d'Ellesmere (G.-B.)

1879–1882 De Long dérive avec la *Jeannette* dans l'océan Arctique jusqu'au naufrage du navire (E.-U.)

1881–1884 Greely hiverne à Fort Conger et bat de 4 nautiques le record de Nares vers le pôle (E.-U.)

1882–1883 Première année polaire internationale

1888 Nansen traverse l'indlandsis du Groenland d'est en ouest (Norv.)

1891–1902 Peary explore le nord du Groenland et de l'île d'Ellesmere ; dans une première tentative vers le pôle il atteint 84° 17' N (E.-U.)

1893–1896 Nansen dérive avec le *Fram* à travers l'océan Arctique (Norv.)

1894–1897 Jackson hiverne en Terre François-Joseph (G.-B.)

1898–1902 Sverdrup hiverne plusieurs années avec le *Fram* sur la côte de l'île d'Ellesmere, et explore l'archipel à l'ouest, qu'il revendique pour la Norvège (Norv.)

1899–1900 Le prince de Savoie, duc des Abruzzes, hiverne sur l'île Rodolphe ; son second, Cagni, bat de peu le record de Nansen vers le pôle Nord (It.)

Antarctique

1822–1824 James Weddell, avec le *Jane* et le *Beaufroy,* atteint la latitude 74° 15' en mer de Weddell (G.-B., Enderby)

1828–1831 Henry Foster avec le *Chanticleer* effectue les premières mesures de magnétisme et de gravité à l'île Déception.

1830–1832 John Biscoe avec le *Tula* et le *Lively* découvre la Terre d'Enderby, l'île Adélaïde et la Terre de Graham (G.-B., Enderby)

1837–1840 Jules Dumont d'Urville avec l'*Astrolabe* et la *Zélée* découvre la Terre Adélie et la côte Clarie ; détermine la position du pôle magnétique Sud (Fr.)

1838–1839 John Balleny avec l'*Eliza Scott* et le *Sabrina* découvre les îles Balleny (G.-B., Enderby)

1838–1842 John Wilkes avec le *Vincennes,* le *Peacock,* le *Porpoise,* le *Seagull,* le *Flying Fish* et le *Relief.* Avec le *Vincennes* et le *Peacock,* découvre la Terre de Wilkes (E.-U.)

1839–1843 James Clark Ross avec l'*Erebus* et le *Terror* découvre la Terre de Victoria, le volcan Erebus et la barrière de Ross. Détermine la position du pôle magnétique (G.-B.)

1892–1894 C.-A. Larsen, avec le *Jason,* pénètre en mer de Weddell et découvre la barrière de Larsen (Norv.)

1897–1899 Adrien de Gerlache avec le *Belgica* hiverne en mer de Bellingshausen (Belg.)

1898–1900 C.-E. Borchgrevink avec le *Southern Cross* est le premier à installer une base sur le continent, cap Adare (G.-B.)

1901–1904 Robert F. Scott hiverne avec le *Discovery* dans la baie de McMurdo (G.-B.)

1901–1903 Erich von Drygalsky hiverne avec le *Gauss* en Terre de l'Empereur-Guillaume (All.)

Arctique

1903–1905 Amundsen, à bord du *Gjoa*, réussit la première traversée du passage du nord-ouest (Norv.)

1905–1906 Peary renouvelle sa tentative vers le pôle et atteint la latitude 87° 06' N

1906-1908 Erichsen explore toute la côte nord-est du Groenland et démontre les erreurs importantes dans les cartes de Peary (Dan.)

1908–1909 Peary annonce qu'il a atteint le pôle Nord (avril 1909) (E.-U.)
Cook annonce qu'il a atteint le pôle Nord en avril 1908 (E.-U.)

1909–1912 Mikkelsen confirme et étend les découvertes d'Erichsen au Groenland (Dan.)

1912 Rasmussen traverse le Nord-Groenland avec 34 traîneaux et 353 chiens (Dan.)

1913–1915 Vilkitski, avec le *Taimyr* et le *Vaigatch*, réussit la première traversée d'est en ouest du passage du nord-est (Russie)

1913–1917 Macmillan explore l'extrême nord-ouest de l'archipel canadien et montre que la terre de Crooker découverte par Peary n'existe pas (E.-U.)

1913–1918 Stefansson, avec l'expédition arctique canadienne, à bord du *Karluk*, essaye d'explorer la mer de Beaufort.

1916–1919 Rasmussen explore le Groenland N.-O. ; Thulé II (Dan.)

1920–1923 Lauge Koch ; expédition du bicentenaire de l'arrivée de Hans Egede au Groenland (Dan.)

1922–1924 Amundsen dérive dans l'océan arctique (Norv.)

1923–1924 Rasmussen avec l'expédition Thulé V traverse le passage du nord-ouest par voie de terre ; études ethnographiques et archéologiques

1925 Amundsen accomplit un vol vers le pôle Nord avec Ellsworth (E.-U.)

1926 Byrd annonce qu'il a atteint le pôle Nord en avion (E.-U.)
Amundsen, Ellsworth et Nobile traversent l'océan arctique du Spitzberg en Alaska avec le dirigeable *Norge* (Norv, E.-U.)

Antarctique

1901–1903 Otto Nordenskjöld avec l'*Antarctic*, commandé par Larsen. Hivernage à l'île Snow Hill ; l'*Antarctic* écrasé par les glaces. L'expédition est sauvée par les Argentins

1902–1904 William Bruce avec le *Scotia* découvre la Terre de Coats en mer de Weddell (Ecosse)

1903–1905 Jean-Baptiste Charcot avec le *Français* à l'île Booth ; effectue un lever hydrographique jusqu'à l'île Alexandre (Fr.)

1907–1909 Ernest Shackleton avec le *Nimrod* ; hiverne sur l'île Ross ; s'approche à 97 nautiques du pôle (G.-B.)

1908–1910 Jean-Baptiste Charcot hiverne avec le *Pourquoi-Pas ?* à l'île Petermann ; continue les travaux de la première expédition (Fr.)

1910–1912 Roald Amundsen avec le *Fram* ; il hiverne à la baie des Baleines et atteint le pôle le premier (Norv.)

1910–1913 Robert F. Scott avec le *Terra Nova* ; hiverne sur l'île Ross ; atteint le pôle et meurt avec ses quatre compagnons sur la route du retour (G.-B.)

1911–1912 Choku Shirase avec le *Kainan Maru* ; aurait voulu atteindre le pôle ; explore vers la Terre Edouard-VII (Jap.)

1911–1912 Wilhelm Filchner avec le *Deutschland* découvre la barrière de Filchner au fond de la mer de Weddell (All.)

1911–1914 Douglas Mawson avec l'*Aurora* ; hiverne à Cap Denison sur la barrière de Shackleton et à l'île Macquarie (Aust.)

1914–1916 Ernest Shackleton avec l'*Endurance* et l'*Aurora*. Tente sans succès la traversée de l'Antarctique. L'*Endurance* coule, mais il sauve tous ses hommes (G.-B.)

1921–1922 Ernest Shackleton avec le *Quest* ; l'expédition est réduite après la mort de Shackleton (G.-B.)

Arctique

1928 Wilkins et Eielson traversent en avion de l'Alaska au Spitzberg (Aust.)
Nobile atteint le pôle Nord avec le dirigeable *Italia* qui s'écrase au retour (It.)

1930–1932 Expédition d'Alfred Wegener au Groenland (All.)

1930–1932 Ushakov explore tout l'archipel du nord (URSS)

1931 Watkins commande la British Arctic Air Route Expedition au Groenland ; Courtault hiverne seul sur l'indlandsis pendant six mois (G.-B.)

1932 Wilkins tente de s'engager sous la banquise avec le sous-marin *Nautilus* (Aust.)

1932–1933 Deuxième année polaire internationale (station française au Scoresby Sound)

1937–1938 Papanine crée au pôle Nord la première station dérivante, SP1 (URSS)

1940 Le navire corsaire allemand *Komet* traverse le passage du nord-est en deux mois pour aller opérer dans le Pacifique sud (All.)

1948 Les Soviétiques organisent chaque année des expéditions aériennes à haute latitude pour installer des stations de recherche sur la banquise arctique pendant le printemps (URSS)

1948–1953 Paul-Emile Victor organise plusieurs campagnes et hivernages au Groenland avec les Expéditions polaires françaises (Fr.)

Antarctique

1928–1930 Hubert Wilkins : premiers vols antarctiques avec deux monoplans Lockheed Vega (E.-U. et G.-B.)

1928–1930 Richard Byrd hiverne à Little America : vols au pôle et découvertes de montagnes avec un trimoteur Ford et deux autres avions (E.-U.)

1929–1931 Douglas Mawson avec le *Discovery* cartographie la côte entre le 75e et le 45e est (Aust .)

1933–1935 Richard Byrd réoccupe la station de Little America et passe l'hiver seul 200 km au sud (E.-U.)

1933–1936 Lincoln Ellsworth avec un monoplan Northrop effectue le premier vol transantarctique (E.-U.)

1934–1937 John Rymill hiverne avec le British Graham Land Expedition et le navire *Penola* (G.-B.)

1938–1939 Albert Ritscher à bord du *Schwabenland* ; campagne d'été le long de la côte Princesse-Martha (All.)

1939–1941 Richard Byrd occupe les bases de Little America et de Stonington Island (E.-U.)

1943–1962 Falkland Island Dependency Survey. Nombreux travaux scientifiques et raids à partir de stations installées en terre de Graham, puis sur la côte, en terre de Weddell. A partir de 1967, devient British Antartic Survey.

1946–1947 Opération Highjump : sous le commandement de Richard Byrd et de l'amiral Cruzen 4 000 hommes de l'U.S. Navy participent à un exercice au cours duquel sont prises de nombreuses photos aériennes du continent (E.-U.)

1947–1948 Finne Ronne hiverne à la baie Marguerite à proximité de la base anglaise (E.-U.)

1947–1948 Opération Windmill, sous le commandement du commandant Ketchum, complète les travaux de l'opération Highjump (E.-U.)

1947–1955 Expéditions annuelles du gouvernement chilien dans la péninsule antarctique (Chili)
gouvernement argentin dans la péninsule antarctique (Arg.)

1949–1952 John Giaever et l'expédition norvégienne, suédoise, britannique hivernent à Maudheim (intern.)

Arctique

1950–1986 Les Soviétiques installent 27 stations dérivantes semblables à celle de Papanine pour explorer l'océan Arctique et étudier son climat (URSS)

1950–1951 Jean Malaurie hiverne avec les Esquimaux de Thulé ; raid en terre d'Inglefield (Fr.)

1952–1954 Simpson et la British North Groenland Expedition en Terre de la Reine-Louise (G.-B.)

1952–1960 Les Américains installent une station de recherche sur l'île de glace T3 qui dérive huit ans dans l'océan Arctique (E.-U.)

1957–1974 Expédition glaciologique internationale au Groenland (EGIG) (cinq pays dont la France)

1958 Le sous-marin américain *Nautilus* traverse l'océan Arctique en passant par le pôle Nord (E.-U.)

1959 Le sous-marin américain *Skate* fait surface au pôle Nord (E.-U.)

1962 Le sous-marin soviétique *Leninski Komsomolets* atteint le pôle nord (URSS)

1966 Forage américain de 1370 m à Cap Century (Groenland) (E.-U.)

1968–1969 Wally Herbert et la Transarctic Expedition relient Pointe Barrow au Spitzberg avec des traîneaux à chiens (G.-B.)

1971 Le sous-marin britannique *Dreadnought* atteint le pôle Nord.

1977 Le brise-glace soviétique *Arktika* atteint le pôle Nord en août (URSS)

1978 Le Japonais Uemura effectue le trajet cap Columbia-pôle Nord en solitaire avec un traîneau à chiens (Japon)

1979 D. Shparo et six compagnons atteignent le pôle après une marche de 1 500 km sans chien ni traîneau

1983–1984 Opération Mizex pour l'étude de l'influence de l'océan Arctique sur nos régions (dix pays dont la France).

1986 W. Steger et J.-L. Etienne arrive indépendamment au pôle début mai.

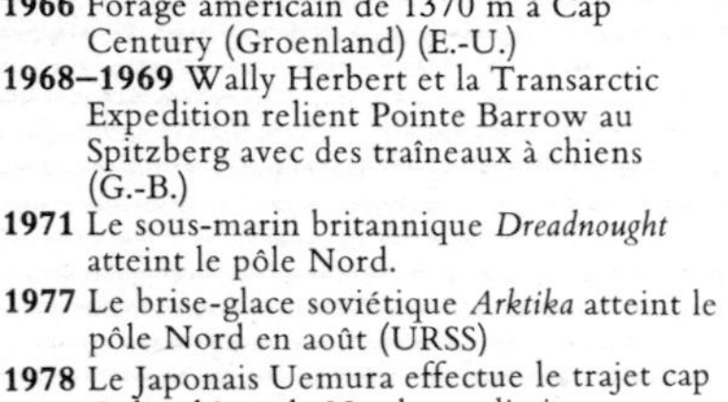

Antarctique

1949–1953 André Liotard, Michel Barré, Mario Marret dirigent les trois premiers hivernages en Terre Adélie ; navires *Commandant-Charcot* et *Tottan* (Fr.)

1954–1955 Philip Law à bord du *Kista Dan* installe la première station australienne de l'après-guerre

1955–1985 Depuis le début de l'Année géophysique internationale, douze pays, puis maintenant dix-huit, effectuent des recherches coordonnées dans une cinquantaine de stations, et au cours de raids terrestres et aériens sur l'indlansis

1955–1958 Sir Vivian Fuchs traverse l'Antarctique avec le support de sir Edmund Hillary (G.-B. et N.-Z.)

1967 Le British Antarctic Survey dépend désormais du ministère de l'Environnement (G.-B.)

1968 Forage américain de 2164 m à la station Byrd, le seul à avoir atteint le socle rocheux (E.-U.)

1968–1969 Raid japonais de la base de Syowa au pôle Sud et retour, soit près de 6 000 km (Jap.)

1975–1977 Claude Lorius dirige l'opération Dome C, avec le support aérien des Américains. Il réalise un forage de 900 m à 3 200 m d'altitude (Fr.)

1979-1982 Ranolph Fiennes, avec l'expédition transglobe, fait le tour du monde, en traversant l'Arctique et l'Antarctique

1985–1986 Swan, Mear et Wood, « sur les traces de Scott », atteignent le pôle Sud en janvier 1986 (G.-B.)

1986–1987 Monica Kristensen et Neil Macintyre effectuent des observations glaciologiques sur le trajet d'Admundsen (Norv., G.-B.)

Actuellement les opérations d'été sont si nombreuses qu'elles ne peuvent être recensées dans cette chronologie.

Généralités

Kirwan L.-P. : *Histoire des explorations polaires,* Payot, 1961.

Vanney J.-R. : *Histoire des mers australes,* Fayard, 1986.

Skrotsky N. : *Terres extrêmes,* Denoël, 1986.

Pour ceux qui connaissent l'anglais, la majorité des ouvrages disponibles sont publiés dans cette langue. Un beau livre bien documenté jusqu'à l'Année géophysique : *Antarctica,* Reader's Digest, 1985. Pour le Nord : Mirsky J. : *To the Arctic,* University of Chicago Press, 1970.

Chapitre I

Barrow J. : *A Chronological History of Voyages Into the Arctic Regions,* 1818, réédité en 1971, Londres.

Rey L. : *Unveiling the Arctic,* Leiden, 1984.

Mill H.-R. : *The Siege of the South Pole,* Alston Rivers, Londres, 1905.

Belov : *Histoire de l'Arctique Russe,* 4 vol. (en russe), Leningrad.

Broc H. : « Terra incognita » *in Cartes et figures de la Terre,* éd. du Centre G.-Pompidou, 1980.

Chapitre II

Les récits de voyages publiés par les navigateurs peuvent se consulter à la Bibliothèque nationale ou dans quelques endroits spécialisés : Société de Géographie, Centre d'études arctiques, Expéditions polaires françaises.

Guillon J. : *Dumont d'Urville,* France-Empire, 1986.

Chapitre III

Lehane B. : *le Passage du Nord-Ouest,* Time-Life, 1982.

Amundsen R. : *le Passage du Nord-Ouest,* Hachette, 1909.

Nordenskjöld A.-E. : *le Voyage de la « Vega »,* Hachette, 1883.

Long G.-W., de : *Voyage de la « Jeannette »,* Hachette, 1885.

Nansen F. : *Vers le pôle,* Flammarion, 1897.

Sundmann P.-O. : *le Voyage de l'ingénieur Andrée,* Gallimard, 1970.

Peary R. : *A l'assaut du pôle Nord,* Lafitte, 1911.

Cook F. : *My Attainment of the Pole,* 1911.

Amundsen R. : *Roald Amundsen par lui-même,* Gallimard, 1931.

Nobile U. : *le Pôle, aventure de ma vie,* Fayard, 1974.

Chapitre IV

Gerlache A. de : *Quinze mois dans l'Antarctique,* Bruxelles, 1943.

Nordenskjöld O. : *Au pôle Antarctique,* Flammarion, s.d.

Scott R.-E. : *Le « Discovery » au pôle Sud,* 2 vol., Hachette, 1908.

Scott R.-E. : *Le pôle meurtrier,* Hachette, 1924.

Shackleton E.-H. : *Au cœur de l'Antarctique,* Hachette, 1910.

Shackleton E.-H. : *Mon expédition au sud polaire,* Mame, s.d.

Charcot J.-B. : *le « Français » au pôle Sud,* Flammarion, 1905.

Charcot J.-B. : *le « Pourquoi-pas ? » dans l'Antarctique,* Flammarion, 1910.

Rouillon G., Prieux J. : *Jean-Baptiste Charcot,* Paris (EPF), 1986.

Amundsen R. : *Au pôle Sud, l'expédition du « Fram »,* Hachette, 1913.

Mawson D. : *The Home of the Blizzard,* Heineman, 1915.

Byrd R.-E. : *Pôle Sud,* Grasset, 1937.

Byrd R.-E. : *Seul,* Grasset, 1940.

Chapitre V

Rasmussen K. : *Du Groenland au Pacifique,* Plon, 1929.

Wegener E., Loewe F. : *Greenland Journey,* Blackie and Son, 1939.

Victor P.-E. : *Boréal,* Grasset, 1938.

Victor P.-E. : *Doumichia,* Grasset, 1982.

Victor P.-E. : *la Voie lactée,* Gautier-Languereau, 1974, et autres nombreux livres de vulgarisation.

Bouché M. : *Groenland, station centrale,* Grasset, 1952.

Fridstrup B. : *The Greenland Icecap,* Rhodos, Copenhague, 1966.

Malaurie J. : *les Derniers Rois de Thulé,* Plon, 1954.

Simpson C.-J.-W. : *Northice, the Story of the British North Greenland Expedition,* Londres, 1957.

Papanine I. : *Sur la banquise en dérive,* Albin Michel, 1948.

Armstrong T. : *Russians in the Arctic,* Greenwood Press, 1972.

Herbert W. : *Par-delà le sommet du monde,* Berger-Levrault, 1974.

Etienne J.-L. : *le Marcheur du pôle,* Laffont, 1986.

Barré M. : *Blizzard,* Julliard, *1980.*

Giaever J. : *Maudheim,* Denoël, 1954.

Fuchs V. : *Of ice and men, the Story of the British Antarctic Survey,* Nelson, 1982.

Fuchs V., Hillary E. : *The Crossing of Antartica,* Cassell, 1958.

Imbert B.-C. : *Trois ans en Terre Adélie,* revue du Palais de la Découverte, avril 1984.

Dufek G. : *Operation Deepfreeze,* Harcourt Brace, 1957.

Walton D. : *Antarctic Science,* Cambridge University Press, 1987.

Lorius C. : *Antarctique, désert de glace,* Hachette, 1981.

Lopez B. : *Rêves arctiques,* Albin Michel, 1987.

Revues

Un certain nombre de revues consacrent des articles aux régions polaires.

Internord, publiée par le Centre d'Etudes Arctiques, Paris.

Polar Record, revue publiée par le Scott Polar Research Institute, Cambridge.

Arctic, revue publiée par le Arctic Institute of North America, Calgary.

Des articles de bonne vulgarisation paraissent régulièrement dans les revues : *Pour la Science, la Recherche, Oceanus.* Le *National Geographic Magazine* publie régulièrement des comptes rendus d'expéditions, bien illustrés.
Pôle Nord 1983, Xe Colloque international du Centre d'études arctiques (J. Malaurie).

Atlas

Il existe un bon atlas, consacré uniquement aux régions polaires : *Polar Atlas,* CIA, Washington, 1980.

Par ailleurs, l'Institut arctique et antarctique de Leningrad a publié deux magnifiques atlas, en russe, l'un pour l'Antarctique, l'autre pour l'Arctique.

Musées

Grande-Bretagne

Scott Polar Institute, Cambridge : Souvenirs des expéditions britanniques, en particulier Franklin, Scott, Shackleton. Expositions temporaires.
National Maritime Museum, Greenwich : Le *James Caird,* la baleinière avec laquelle Shackleton est allé chercher du secours en Géorgie du Sud, se trouve maintenant dans ce musée.
Le *Discovery* se visite maintenant dans le port de Dundee en Ecosse.

U.R.S.S.

Institut arctique et antarctique, Leningrad.

Norvège

Les navires *Fram* et *Gjoa* sont conservés à côté d'Oslo et peuvent être visités, ainsi que la maison de Nansen.

France

La ville de Saint-Malo va ouvrir un Musée arctique international dans l'église Saint-Sauveur et au Petit-Bée.

Barrière de glace *(ice shelf)* **:** glacier plat et flottant pouvant émerger de 2 à 50 m au-dessus de l'eau.

Blizzard : vent violent chargé de neige, qui réduit beaucoup la visibilité.

Cairn : pyramide de pierre ou de neige destinée à marquer un endroit géographique ou un dépôt.

Floe (pron. flo) : tout fragment de glace de mer relativement plat ayant 20 m au plus de longueur.

Hummock : monticule de glace brisée qui a été soulevé par la pression.

Iceberg : importante masse de glace continentale détachée d'un glacier.

Indlandsis : nom donné à la calotte glaciaire qui recouvre les terres polaires.

Nautique : mille marin égal à une minute de latitude, soit 1852 m.

Nœud : mesure marine de vitesse exprimée en nautique par heure.

Névé : accumulation de neige durcie par le vent.

Nunatak : piton rocheux traversant la calotte glaciaire.

Pack : banquise ; toute étendue de glace de mer autre que la banquise côtière.

Pôle magnétique de surface : endroit de la terre où l'aiguille aimantée se trouve exactement verticale.

Polynia : toute ouverture d'eau libre de forme non linéaire et enclose dans un champ de glace de mer.

Rookerie : colonie d'oiseaux de mer ou de manchots.

Sastruggi : crêtes irrégulières et anguleuses formées sur une surface couverte de neige par l'action du vent.

Scorbut : maladie provoquée par une carence en vitamine C ; inconnue des esquimaux.

COUVERTURE

OUVERTURE

CHAPITRE I

CHAPITRE II

CHAPITRE III

CHAPITRE IV

CHAPITRE V

TEMOIGNAGES ET DOCUMENTS

INDEX

A

B

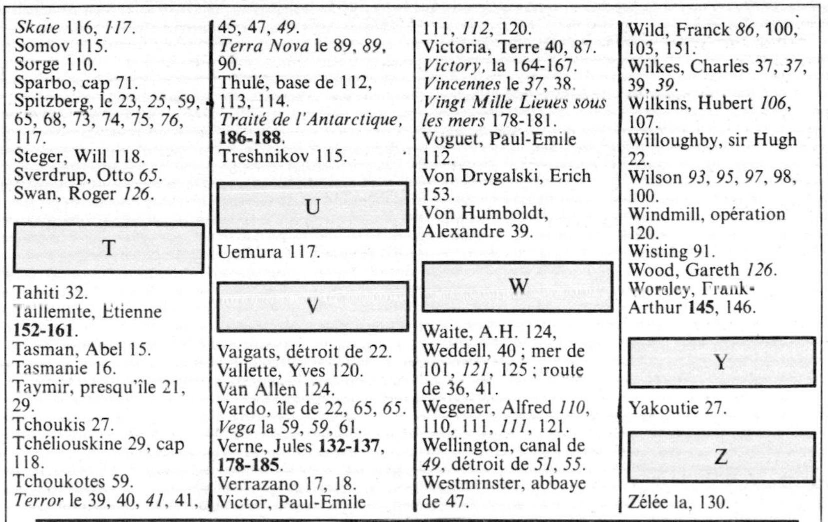

CRÉDITS PHOTOGRAPHIQUES

Andréemuseet, Granna 66h, 66b, 66-67. APN, Paris 28b, 114, 119, 198, 199, 201h. Archiv für Kunst und Geschichte, Berlin 12. Aschehoug, Oslo 57, 63. BBC Hulton Picture Library, Londres 141, 200. Bibliothèque de l'Institut, Paris 26-27, 172. Bibl. Nat., Paris 14, 28-29. Bodleian Library, Oxford 18. Bridgeman Art Library, Londres couverture, 80-81, 88. British Antarctic Survey, Cambridge 123. Bulloz, Paris 176. Charmet, Paris 16, 30, 42, 69, 82-83, 85, 86, 217. Dagli-Orti, Paris 22, 68. D.R. 17, 19, 23, 37, 47h, 59, 64-65, 87, 90b, 91, 101, 122, 129, 130, 131, 132, 133, 136, 137, 138, 139, 153, 154-159, 161, 162, 173, 174, 176, 177, 178-185, 200, 203h, 206-207, 210, 211b. Édimages, Paris 36. E.T. Archives, Londres 1-10, 13, 21, 33, 99. Expéditions polaires françaises, Paris 112h, 121, 123. Explorer Archives, Paris 15, 24-25. Explorer/Lorius, Paris 205b. Glydendal, Oslo 72, 73. Robert Guillard, Paris 108, 112b, 189, 190, 197. Nicolas Hulot, Paris 208, 209. Jacana/Suinot, Paris 121b, 202h, 202b, 203b, 204g, 204d, 205h. Keystone, Paris 90, 105. Roger Kirchner 121. Claude Lorius, Grenoble 194. Jean Malaurie, Paris 170. Mansell Collection, Londres 100. Musée Mac Cord, Montréal 4, 50-55. NASA, Washington 109. National Maritime Museum, Londres 46, 48-49. Nationalmuseum, Stockholm 58. National Portrait Gallery, Londres 43. Navy Academy and Museum, Annapolis 39. Gertrude Nobile, Rome 75, 76-77, 77h. Giraudon, Paris 34. Old Dartmouth Historical Society, New bedford 128, Jean Parel, Paris 171. Pitch/Paul-Emile Victor, Paris 111, 186, 213. P.P.P., Paris 106, 116-117, Roger-Viollet, Paris dos, 70, 152, 216. Royal Geographical Society, Londres 103, 104, Sipa-Press, Paris 127. Société de Géographie, Paris 35, 60-61, 71, 134. SPRI, Cambridge 11, 31, 32, 40-41, 44, 45, 47b, 62, 78, 79, 89, 92h, 92-93, 94-95, 96-97, 102, 140, 142-151, 167b, 164, 165, 167h, 175, 211h. Stato Maggiore Aeronautica, Rome 74. Sygma/Préau, Paris 118. Wegener Institut, Bremenshaven 110, 201 b.

Cartes Patrick Merienne, Paris 38, 56, 98, 113, 149, 192.

REMERCIEMENTS

Nous remercions les personnes et les organismes suivants pour l'aide qu'ils nous ont apportée dans la réalisation de cet ouvrage :
Terence Armstrong, université de Cambridge, Robert Guillard, explorateur, Claude Lorius, laboratoire de glaciologie de Grenoble, Jean Malaurie, Centre d'études arctiques, Paris, Gordon Robin, université de Cambridge, Michel Roethel, libraire de l'Ile Mystérieuse. Les revues l'Histoire, la revue du Palais de la Découverte. Les éditions du CNRS, Julliard, Plon.

Table des matières